《全国68所名牌小学语文阅读训练》丛书

主 编：邓 捷

编 委：(排名不分先后)

张厚忠 范婉莹 杨 敏 党斌宏 胡富安

王理民 雒宗德 朱新会 魏继民 王乃红

孙英华 李尚民 魏存海 刘天明 赵志毅

容 强

邓捷 主编

全国68所名牌小学

小学语文

阅读训练80篇

一年级

张厚忠 编写

长春出版社

图书在版编目（CIP）数据

全国68所名牌小学语文阅读训练80篇．一年级/邓捷
主编．－长春：长春出版社，2002.12
ISBN 7-80664-444-X

Ⅰ．全…　Ⅱ．邓…　Ⅲ．语文课－阅读教学－小学
－教学参考资料　Ⅳ. G624.233

中国版本图书馆 CIP 数据核字（2002）第 091006 号

责任编辑：羽　佳　　　封面设计：泽　海

长春出版社出版

（长春市建设街 1377 号）

（邮编 130061　电话 8569938）

http：//www. cccbs. net.

溪渊图文制排中心排版

西安建筑科技大学印刷厂印刷

新华书店经销

787×960 毫米　16 开本　8 印张　4 插页　300 千字

2003 年 1 月第 1 版　2004 年 9 月第 7 次印刷

定价：9.00 元

编 写 说 明

　　阅读，是语文学习的重要能力之一。阅读能力的强弱，会影响到一个人一生成就的大小。语文教育专家认为，小学生的阅读活动应尽早开始，不能过晚，更不应缺失。新的《语文课程标准》更是强调阅读，对阅读的目标和要求已经延伸到小学一、二年级，全国越来越多的名牌、重点小学也陆续开设了阅读课。

　　为了指导小学低年级学生及早开始真正有效的阅读，解决老师、家长为一、二年级学生寻找程度适合、科学系统的阅读训练材料的困难，我们组织了全国 68 所名牌小学中接受新课程标准培训的优秀语文老师，精心编写了这套《小学语文阅读训练 60 篇》，供小学一、二年级使用。

　　本书包括以下主要内容：

　　阅读起步——精讲阅读的入门知识，按照新课程标准的要求，从学会朗读到学习默读，从理解词语到读懂句子，从怎样使用工具书到了解不同体裁文章的阅读常识，一步步由浅入深、由易而难地进行辅导，帮助小学生掌握科学的阅读方法。教师可以照此进行阅读基础教学，领悟力强的学生也可以自己琢磨、吸收。

　　训练材料——精选 60 篇优美文章，包括童话、寓言、诗歌、故事、科学小品以及简单的记叙文等。这些作品，既有语文方面的示范性，又贴近时代和低年级学生的生活实际，题材、体裁、风格丰富多样。在选文排列上，由短到长，由浅到难，潜在引导，梯级发展，使小学生轻轻松松踏入阅读之门，获得情感体验和意志培养。

　　阅读练习——精心设计了难易适度的练习题，这些训练覆盖听、说、读、写，既可起到科学指导阅读的作用，同时又能让学生从小积累语言材料，储存语言模式。此外，还安排了一些启发思维、诱发创新意识的问题，引导学生逐步观察社会，关注生活。书后附有练习题的详细答案或提示。

本书与先前出版的《小学语文阅读训练 80 篇》（三至六年级）一起构成一套体系完整、与新标准新教材同步衔接的小学语文阅读训练丛书。我们真诚希望通过这套丛书的训练，培养小学生创造性阅读能力，拓展思维空间，为语文学习和终身发展打下坚实的基础。需要说明的是为便于整套书书名的统一，一二年级虽根据课标要求选文 60 篇，但书名仍延用《小学语文阅读训练 80 篇》。

编　　者

《全日制义务教育语文课程标准》
1～2年级阅读目标

1. 喜欢阅读，感受阅读的乐趣。

2. 学习用普通话正确、流利、有感情地朗读课文。

3. 学习默读，做到不出声，不指读。

4. 借助读物中的图画阅读。

5. 结合上下文和生活实际了解课文中词句的意思，在阅读中积累词语。

6. 阅读浅近的童话、寓言、故事，向往美好的情境，关心自然和生命，对感兴趣的人物和事件有自己的感受和想法，并乐于与人交流。

7. 诵读儿歌、童谣和浅近的古诗，展开想象，获得初步的情感体验，感受语言的优美。

8. 认识课文中出现的常用标点符号。在阅读中，体会句号、问号、感叹号所表达的不同语气。

9. 积累自己喜欢的成语和格言警句。背诵优秀诗文50篇（段）。课外阅读总量不少于5万字。

10. 喜爱图书，爱护图书。

目录

阅读起步

简单的写景状物阅读

简单的写人记事阅读

小巴掌童话

小个子寓言

童心与诗心

浅显的古诗

长知识的科学小品

阅读起步

辅导一　学习朗读

要学会阅读，首先就要敢于放开声音，大声地朗读。

什么是朗读？朗是指声音响亮、清晰，读是读书、念文章，朗读就是用响亮、清晰的声音把文章读出来。

古人说："书读百遍，其义自见"，意思是说，只要反复地读，书中的意思不需要别人讲解，自己也能逐步地理解。在童话、寓言、诗歌、故事中，有许多美好的事物，美好的人，美好的情境。面对这些抒写美丽的文字，只有通过朗读，将自己的感情融汇到语言文字中，将语言文字中的感情流淌到自己的心田里，才能充分体会到其中的真、善、美与妙。

进行朗读训练，首先要掌握朗读的要求。朗读的要求是正确、流利、有感情。

正确 ——在朗读时要做到用普通话读，发音准确，吐字清楚，不指读，不唱读，不重复字句，不丢字加字。

流利 ——朗读时不能结结巴巴，吞吞吐吐，语气要连贯、通畅、自然。

有感情 ——有感情朗读应在停顿、重音、语调和速度上处理得当。

一、读得正确、流利

小学低年级应达到朗读最基本的要求，就是正确、流利，具体讲，就是读准字词，读准标点，读出自然停顿。

1 读准字词

我们在朗读时，要一字一句读准确，既不能丢字，也不能加字，更不能读错字。如果碰到不认识的字，可以去问老师、同学，也可以去查字典，不能瞎猜或想当然。

2 读准标点

标点符号是句子的重要组成部分，别看它小，作用可不小。同样一句话，用不用标点符号，用什么标点符号，意思大不相同。例如：

①春天真美丽。

②春天真美丽？

③春天真美丽！

一般来说，逗号（，）停顿的时间短，句号（。）、感叹号（！）、问号（？）、省略号（……）停顿的时间相对较长，顿号（、）停顿的时间比逗号还要短。陈述句语气应该平稳；疑问句应读出疑问的语气，结尾语调上扬；感叹句应读出感叹的语气，结尾语调下降。

3 读出自然停顿

自然停顿，就是除按标点符号正确朗读之外，在句中词与词、词组与词组间的简短停顿。是一个词或词组的不能拆开读，不是一个词或词组的不可连得太紧，也不能一字一顿地读。如用"／"表示停顿，下面这句话应这样读：

各种各样的／车辆／在平坦宽阔／绿树成阴的／大道上／急驶。

憋死我了！

朗读文章就像游泳中的换气一样，要有停顿。

二、读出感情来

朗读，读得声音响亮，正确无误，只是基本要求。提高一步，就要读出感情来。

要做到有感情地读，首先得正确理解文章的意思，把握朗读的基调。有的文章表达一种欢快的情感，就要读得速度稍快，语调略高；表达悲伤情感的文章，读得速度较慢，语调低沉；而叙述一般的事件，则用中等速度，语调也应平缓。

　　朗读中，随着情节的发展，朗读的感情要有起伏变化。有些人物性格不同，也要通过朗读表现出来。如《狼和小羊》中的狼是凶恶的，一心要吃掉小羊，因此狼的话要读得声音粗重，一股恶狠狠的样子。小羊善良柔弱，声音就要低小，语气温柔，但因急于分辨，速度又要略快一些。

　　朗读要讲重音、停顿、速度、语调。"重音"是指把句子中着重要强调的词语读得重一点。"停顿"是指读出词语与词语、句子与句子之间的间歇。"速度"是指读得快一点还是慢一点。"语调"是指声音高一点或是低一点。我们把握了重音、停顿、速度、语调这四个要素，就掌握了朗读的技巧，就能把文章的感情读出来。

训练 1

liàn xí lǎng dú jù zi
练习朗读句子

zhèng què lǎng dú xià mian de jù zi　　zhù yì dú zhǔn zì yīn　　dú chū tíng dùn　zhòng yīn hé yǔ
　　正 确 朗 读 下 面 的 句 子，注 意 读 准 字 音，读 出 停 顿、重 音 和 语
qì lái　　kě yòng　　　biǎo shì tíng dùn　yòng　　　biǎo shì zhòng yīn
气 来。（可 用 "/" 表 示 停 顿，用 "·" 表 示 重 音）

jú huā kāi le　　hǎo xiāng a
1. 菊花开了，好 香 啊！

nǐ yuàn yì hé wǒ yì qǐ zhòng dào zi ma
2. 你 愿 意 和 我 一 起 种 稻 子 吗？

gǔ lǎo de wēi ní sī yòu chén chén de rù shuì le
3. 古 老 的 威 尼 斯 又 沉 沉 地 入 睡 了……

xīng xing zài yè kōng zhōng shǎn shuò zhe róu hé de guāng máng
4. 星 星 在 夜 空 中 闪 烁 着 柔 和 的 光 芒。

yǒu shéi zhī dào wǎn li de fàn　měi yí lì dōu shì nóng mín bó bo yòng xīn kǔ de hàn shuǐ huàn lái
5. 有 谁 知 道 碗 里 的 饭，每 一 粒 都 是 农 民 伯 伯 用 辛 苦 的 汗 水 换 来
de a
的 啊！

chūn jiě jie de huā lán nǎ qù le　　xià gē ge de lǜ yèr zhē zhù le
6. 春 姐 姐 的 花 篮 哪 去 了？ 夏 哥 哥 的 绿 叶 儿 遮 住 了。

辅导二　碰到生字、生词怎么办

同学们在独立阅读课文，或者在读书看报的时候，首先遇到的"拦路虎"就是生字、生词。这就需要培养自学生字、生词的能力。怎么自学生字、生词呢？

一．勾画出来

在阅读中遇到生字、生词，或不懂的字词，可以先用铅笔把它们勾画出来，然后在本子上打一个表格，把不认识的字写入表内，准备查字典。

shēng zì 生字	zì yīn 字音	zì xíng 字形			zì yì 字义
		bǐ huà 笔画	jié gòu 结构	bù shǒu 部首	

二．查查字典

字典是"无声的老师"，是我们的好帮手。学会使用字典，是小学生必须掌握的基本技能。现在，请你拿出一本《新华字典》（商务印书馆，1998年修订本），我们一起学学怎样查字典。

1 音序查字法

知道字的读音，不知道字的写法和意思，可以通过音序查阅字典。这要查：

①翻开字典中印有"汉语拼音音节索引"的一页；

②在"汉语拼音音节索引"里找出所查字的音节的第一个字母；

③在这个字母打头的音节表中查出这个音节和它在正文中的页码；

查字典方法：
1. 音序查字法
2. 部首查字法
3. 数笔画查字法

④按音节的页码翻到正文页码，按拼音的四声顺序找出要查的字。

举例：查"鱼网（wǎng）"的"网"。

先翻到《新华字典》第 9 页的"索引"表，再找出"网"音节第一个字母"W"，可以发现"W"在第 13 页，再在"W"这部分中找出"wang"和它在正文中的页码"507"页，最后翻到正文 507 页，在第三声中就可以找到"网"字。

2 部首查字法

知道字的字形，不知道字的读音和意思，可以通过部首查阅字典。这样查：

①确定所查字的部首；

②数清部首的笔画；

③在"部首目录"中找到这个字的部首，看清楚这一部首的起始页码；

④按照"部首目录"指示的页码找到这一部；

⑤数清楚这个字除部首外还有几画，再按这一笔画在"检字表"中找到这个字；

⑥按"检字表"标明的页码在正文中查到这个字。

举例：查"大拇指"的"拇"。

先确定"拇"字的部首是"扌"，三画，接着翻到字典第 14 页的"部首目录"表，在"三画"的部分里找到"扌"这个部首，看它后面的页数为 31 页，然后在部首检字表 31 页中找到这个部首的区域，再数除掉部首外"母"的笔画为五画，这样在"扌"部五画中找到这个"拇"字，看准它在正文中的页数是 351 页，于是可以查找到"拇"字。

3 数笔画查字法

知道一个汉字的字形，不知道它的字音和字义，而又难以确定它的部首时，就可以通过数笔画来查阅字典。这样查：

①准确地数出要查的字的全部笔画；

②在字典第 91 页"难检字笔画索引"中找到相应笔画栏逐一查找，就可以找到要查的字和它所在的页码；

③根据页码在正文中找到所要查的字。

举例：查"凸现"的"凸"。

先数出"凸"的笔画是五画，接着在"难检字笔画索引"中找到"五画"栏，可以找到"凸"字所在正文的页数是 497 页，最后翻到正文 497 页就可以找到"凸"字。

查字典时，如果遇到一个生字有几个读音或几个意思，即多音字和多义字，那就要联系文章的上下文去给它选择字音和字义了。例如：

一只小猫跑过去，监狱看守没有看见。这句话中，"看"是个多音多义字。第一个"看"读kān，表示守护的意思；第二个"看"读kàn，看见。

训练 2

xué xí chá zì diǎn
学习查字典

zài xīn huá zì diǎn zhōng chá zhǎo xià miɑn de zì yòng yīn xù chá zì
在《新华字典》中查找下面的字，用"音序查字
fǎ bù shǒu chá zì fǎ huò shǔ bǐ huà chá zì fǎ dōu xíng chá chū lái
法"、"部首查字法"或"数笔画查字法"都行，查出来
hòu tián xiě biǎo gé
后填写表格。

阅读

小学一年级

6

shēng zì 生字	yīn xù 音序	dú yīn 读音	bù shǒu 部首	chú bù shǒu wài jǐ huà 除部首外几画	jié gòu 结构	xīn huá zì diǎn nǎ yí yè 《新华字典》哪一页	nǐ shǐ yòng nǎ zhǒng chá zì fǎ 你使用哪种查字法
拳	Q	quán	手	6	上下	416页	
沉							
异							
乖							
凹							
直							

辅导三　怎样理解词语

　　一句话是由一个个词语组成的，读句子和文章的时候，弄懂词语的意思是一项十分重要的阅读基础训练。理解词语的方法很多，常见的有这么几种：

一、查字典、词典

　　遇到不懂的词语，最常用的方法是查字典或查词典。查出来以后，如果这个词语是个多义词，还要联系上下文去选择词义。刚开始学习阅读，碰到生僻的词语，尤其是典故类成语，应多动手翻查工具书，不要嫌麻烦。

二、分析字义理解词语

　　有些词语不理解，常常不是整个词语不理解，而是其中的某个字不理解。只要查字典弄懂这个字的意思，再看看这个词语的上下文，我们便可以理解这个词了。例如"形态各异"一词，"异"字不懂，查字典后，知道了"异"是不同的意思，形态各异就是形态各不相同的意思，这个词便理解了。

三、联系上下文去理解

　　重点词语与上下文有着密切联系，不要孤立地解词，要学会上挂下联，结合文章思考也就明白了。例如"丑小鸭感到非常孤单，就钻出篱笆，离开了家"一句中，"孤单"的意思就可以联系上文来理解。上文写到：除了鸭妈妈疼爱他，谁都欺负他。哥哥、姐姐咬他，公鸡啄他，连养鸭的小姑娘也讨厌他。可见丑小鸭没有朋友，心中的委屈也没地方去说，可怜巴巴的。在阅读中能想象出丑小鸭当时的神情，就算是理解"孤单"了。

四、替换、比较去理解

　　有比较才能鉴别。准确理解词语，可将需要理解的词语换成相近的词语试一试，词意间的区别就明显地看出来了。如常见到的"森林"一词，如果把"森林"与"树林"、"树木"三个词意比较，就会知道，"森林"指的不是一棵大树，也不是几十棵、几百棵组成的树木，而是成千上万棵树组成的庞大整体。

五、积累词语

词语就像砖头、钢材、水泥等建筑材料，材料多了，才能盖起高楼大厦。所以，阅读时要注意积累词语。怎样积累呢？方法主要是五个"多"和一个"本"。五个"多"是：多看、多听、多问、多查、多记；一个"本"是：要有自己的词语本，及时把学到的新词记下来。

正如盖房子要准备砖瓦一样，说话、阅读和作文都需要积累词语

词语积累多了，还要整理一下，排排队，比如写人的心情的有哪些词，写人物动作的有哪些词。像写下雨的词，从小雨到大雨，可以这样排起来：

毛毛雨　　　　牛毛细雨

蒙蒙细雨　　　雨丝

淅淅沥沥的雨

密密的雨　　　豆大的雨点

倾盆大雨　　　瓢泼大雨

暴风骤雨　　　暴雨

这样，日积月累，就可以扩大词汇量，丰富你的语言材料。

练兵场　训练 3

xué xí lǐ jiě cí yǔ
学习理解词语

lián xì shàng xià wén　　lǐ jiě jiā diǎn cí yǔ de yì si　　shì zhe jiě shì yí xià
联系上下文，理解加点词语的意思。试着解释一下。

yī　　mìng lìng yí xià　　xiǎo huǒ bàn men xùn sù sàn kāi　　māo zhe yāo　　sōu suǒ
（一）命令一下，小伙伴们迅速散开，猫着腰，搜索
qián jìn　　hǎo jiǎo huá de　　huài dàn　　jiàn wǒ men chōng shàng qù　　tā men mǎ shàng
前进。好狡猾的"坏蛋"！见我们冲上去，他们马上
duǒ qǐ lái　　cáng de wú yǐng wú zōng le　　huǒ bàn men zhèr qiáo qiáo　　nàr kàn kàn
躲起来，藏得无影无踪了。伙伴们这儿瞧瞧，那儿看看，

bú fàng guò yì sī kě yí de jì xiàng　wǒ ne　　sōu xún le hǎo jiǔ　　què yī wú suǒ
不放过一丝可疑的迹象。我呢，搜寻了好久，却一无所

huò　bù xǔ dòng　　　jiǎo qiāng bù shā　　tīng dào huǒ bàn men huān kuài de jiào
获。"不许动！""缴枪不杀！"听到伙伴们欢快的叫

shēng　wǒ gèng jí le　zhēng dà le yǎn jing　wǎng shù shàng　cǎo zhōng　shí xià sǎo
声，我更急了，睁大了眼睛，往树上、草中、石下扫

lái sǎo qù　ā　　wǒ jīng xǐ de jiào le qǐ lái　　cáng zài dà shù hòu mian de yí
来扫去。"啊！"我惊喜得叫了起来，藏在大树后面的一

ge　tè wù　　bèi wǒ fā xiàn le
个"特务"被我发现了……

èr　　mā ma gāng bào chū yí ge yuán gǔn gǔn de dà xī guā fàng zài zhuō zi
（二）妈妈刚抱出一个圆滚滚的大西瓜放在桌子

shang　wǒ mǎ shàng bú kè qi de shuō　　wǒ yào bàn ge kōu zhe chī　　jiě jie
上，我马上不客气的说："我要半个抠着吃。"姐姐

shuō　nǐ lǎo shì zhè me bà dào　zhè yì huí bù néng zài guàn zhe nǐ le　　mā
说："你老是这么霸道，这一回不能再惯着你了！"妈

ma shuō　jiě jie shuō de duì　nǐ yě tài　　　tā de huà hái méi shuō wán
妈说："姐姐说得对，你也太……"她的话还没说完，

lǎo lao biàn shuō　dé le　dé le　nǎ yǒu zhè me duō huà shuō　jiù suàn wǒ
姥姥便说："得了，得了，哪有这么多话说，就算我

yào bàn ge guā　gǎn jǐn qiē gěi tā ba　mā ma wú kě nài hé de bǎ bàn ge xī
要半个瓜，赶紧切给他吧。"妈妈无可奈何地把半个西

guā dì gěi le wǒ
瓜递给了我。

阅读练习

wú yǐng wú zōng
1. 无影无踪：_____

tí shì　zài lǐ jiě　wú yǐng wú zōng　zhè yì cí yǔ yì si shí　qǐng nǐ sī kǎo shéi cáng de
提示：在理解"无影无踪"这一词语意思时，请你思考谁藏得

wú yǐng wú zōng　dōu cáng dào nǎr qù le　nǎ xiē yǔ jù shuō míng hěn nán zhǎo dào zhè xiē cáng
"无影无踪"？都藏到哪儿去了？哪些语句说明很难找到这些藏

qǐ lái de　tè wù
起来的"特务"？

wú kě nài hé
2. 无可奈何：_____

tí shì　mā ma xiǎng bù xiǎng bǎ bàn ge xī guā gěi　wǒ　　hòu lái wèi shén me bǎ bàn ge
提示：妈妈想不想把半个西瓜给"我"？后来为什么把半个

xī guā gěi le　wǒ　lián xì qián hòu zhè xiē nèi róng　nǐ néng shuō chū　wú kě nài hé　de
西瓜给了"我"？联系前后这些内容，你能说出"无可奈何"的

yì si ma
意思吗？

辅导四 认识完整的句子

句子，是我们常说的一句一句的话。它是人们交流思想的语言单位。一句话是由词和短语组成的，具有一定的语调和标点符号，能表达一个相对完整的意思。如"我是一年级小学生。"就是一句话，它由"我"、"是"、"一年级"、"小学生"几个词语组成，词调平稳，有一定的标点符号（一个句号），表达了一个完整的意思。

一、认识句子的基本结构

一句完整的话，常常由两大部分组成：前一部分说的是"谁"或"什么"（主语部分）；后一部分是回答"干什么"、"怎么样"或"是什么"（谓语部分）。我们分清了一句话的前后两部分，就会懂得这句话的基本意思。例如：

孔雀‖抖动着美丽的尾巴。
  "谁"   "干什么"

雨花台烈士陵园‖坐落在苍松翠柏中。
     "什么"   "怎么样"

丁丁‖是个爱动脑又爱动手的孩子。
 "谁"   "是什么"

二、认识四种基本句型

常见的简单句子有以下四种形式（简称句式）：

1 陈述句

说明一件事情的句子叫陈述句。例如：

①小松鼠‖是美丽、可爱的动物。

②这件事‖不是他干的。

2 疑问句

提出一个问题或带有疑问语气的句子，叫疑问句。例如：

①谁‖是我们最可爱的人？

②一块钱‖你有没有?

3 祈使句

表示命令或请求,有一个表示祈使语气的语调,这种句子叫祈使句。例如:

①你‖应该用功读书。

②你‖只能看,不准动手!

4 感叹句

表示某种感情(如喜欢、愤怒、悲伤、恐惧等),有一个表示感叹语气的语调,这种句子叫感叹句。例如:

①这‖太不像话了!

②祖国的版图‖多么大啊!

可见,一个完整的句子不仅包括词、短语,还应该有一定的语气、语调和标点符号。

练兵场 训练 4

liàn xí rèn shi jù zi
练习认识句子

xià mian nǎ xiē shì jù zi　　zài kuò hào li huà　　　　bú shì jù zi de huà
1. 下面哪些是句子,在括号里画"✓",不是句子的画"×"。

mǎ shā zěn yàng cái néng chéng zhǎng ne
(1) 马莎怎样才能 成 长 呢　　　　　　　　　(　)

zhōng wǔ tiān qì zhēn rè
(2) 中 午天气真热!　　　　　　　　　　　(　)

mǎn tiān de xīng xing
(3) 满天的星星。　　　　　　　　　　　　(　)

yóu jī duì yuán jiǎng le kàng rì shí qī hěn hěn dǎ jī rì běn guǐ zi
(4) 游击队员 讲了抗日时期狠狠打击日本鬼子。(　)

liù yī jié kuài dào le　　zhǔn bèi kāi zhǎn yí cì yǒu yì yì de huó dòng
(5) 六一节快到了, 准备开展一次有意义的活 动。(　)

shǎn shǎn de zhú guāng zhào zhe tā nà bù mǎn zhòu wén de cí xiáng de liǎn
(6) 闪 闪的烛 光 照着她那布满皱纹的慈祥的脸。(　)

2. 读下面的句子，注意读出语气。试着分辨（A）陈述句、（B）疑问句、（C）祈使句或（D）感叹句。

(1) 一粒种子睡在泥土里。 （ ）

(2) 人类已经能登上月亮了，将来还要登上太阳呢！

（ ）

(3) 冬爷爷的白被子哪去了？ （ ）

(4) 我要赶快出去！ （ ）

(5) 嗨，他发现了！ （ ）

(6) 元宵节的晚上，全家人在一起看电视。 （ ）

辅导五 怎样读懂一句话

文章是由一句话一句话组成的，要想理解文章内容就必须读懂每一句话。有的句子需要从意思上去理解，有的句子需要从在文中的重要性上去理解，有的句子需要从表达效果上去理解等等。这样，多角度地分析句子，就能体会出语言的妙处。

那么，怎样才能正确理解句子的意思呢？

1 通过关键词语来理解句子的意思

在读句子时，有时会因为词语障碍而影响对句子的理解。理解了这些词语，句子的意思也就清楚了。例如《精彩的马戏》中，"山羊走钢丝的表演很出色"这句话，我们只要通过查词典，弄懂"出色"是"格外好，超出一般的"的意思，就会很容易理解这句话的意思了。

2 抓句子主干来理解句子的意思

有些句子比较长，好像一棵大树，有很多枝杈和树叶。阅读这样的句子，要学会抓住它的"主干"——明确这句话主要说什么，然后想想"主干"以外的"枝叶"又讲什么，在句子中起什么作用。这样就能很快地把句子读懂。例如："大妈踏上被露水打湿的石子小路"，这句话主干就是"大妈踏上小路"，这条小路是怎样的呢？是被露水打湿的，石子铺成的。从这个句子中可以推想，时间是在早晨，地点是在农村。

抓住重点句子，读懂它，就能很快理解文章内容。

3 通过理解修辞手法来理解句子意思

例如：李白《秋浦歌》中的句子"白发三千丈，缘愁似个长"。白头发真的有三千丈长吗？不会，这是夸张的说法，意思是白头发很长。我们了解了夸张手法的作用，再通过有感情朗读，就明白了这句话是说诗人的忧愁是多么的深啊！有些句子说法比较特别，如反问句等，我们可以把这些句子变换成普通的说法。例如："这比山还高比海还深的情谊，我们怎么会忘记？"把这个反问句改成："这比山还高比海还深的情谊，我们不会忘记。"意思就很明白。然后，进一步想，作者为什么要用反问的语气来说呢？原来，这样说表达的感情就更强烈了。

其实，理解句子的方法还有很多。例如：通过理解标点来理解句意，通过抓事物的矛盾处来理解句意，通过有感情朗读来理解句意等。总之，我们要善于抓住文中的重要句子，仔细分析、朗读就能很快理解其中的意思，从而理解文章的内容和作者的情感。

训练 5

liàn xí dú dǒng jù zi
练习读懂句子

nǐ néng dú dǒng xià mian de jù zi ma   qǐng xuǎn zé zhèngquè de dá àn
一、你能读懂下面的句子吗？请选择正确的答案。

dà xiàng yòng cháng cháng de bí zi gěi shān pō shang de huār jiāoshuǐ
1. 大象用长长的鼻子给山坡上的花儿浇水。

zhè jù huà shuō de shì shéi
(1) 这句话说的是谁？（　　　）

dà xiàng
A. 大象

dà xiàng de bí zi
B. 大象的鼻子

huār
C. 花儿

shuǐ
D. 水

zhè jù huà shuō de shì gàn shénme shì
(2) 这句话说的是干什么事？（　　　）

wánshuǎ
A. 玩耍

shuǎi bí zi
B. 甩鼻子

jiāoshuǐ
C. 浇水

yǔ huār jiāopéngyou
D. 与花儿交朋友

kě ài de xiǎoyàn zi fā xiàndōngguā de pí shangyǒu xì máo   qié zi de bǐngshangyǒuxiǎo cì
2. 可爱的小燕子发现冬瓜的皮上有细毛，茄子的柄上有小刺。

zhè jù huà shuō xiǎo yàn zi zěn me yàng
(1) 这句话说小燕子怎么样？（　　　）

fā xiàn le dōng guā　qié zi
A. 发现了冬瓜、茄子。

fā xiàn dōng guā de pí shang yǒu xì máo
B. 发现冬瓜的皮上有细毛。

bǎ dōng guā de pí kàn chéng le xì máo　bǎ qié zi de bǐng kàn chéng le xiǎo cì
C. 把冬瓜的皮看成了细毛，把茄子的柄看成了小刺。

fā xiàn dōng guā de pí shang zhǎng yǒu xì máo　ér qié zi bǐng shang què shì xiǎo cì
D. 发现冬瓜的皮上长有细毛，而茄子柄上却是小刺。

cóng zhè ge jù zi zhōng　wǒ men kě yǐ zhī dào
(2) 从这个句子中，我们可以知道（　　　）

xiǎo yàn zi fēi lái fēi qù de　hěn kě ài
A. 小燕子飞来飞去的，很可爱。

xiǎo yàn zi hé dōng guā　qié zi shì hǎo péng you
B. 小燕子和冬瓜、茄子是好朋友。

xiǎo yàn zi guān chá de hěn zǐ xì
C. 小燕子观察得很仔细。

dōng guā yǔ qié zi jiù shì bù yí yàng
D. 冬瓜与茄子就是不一样。

阅读
小学一年级

15

简单的写景状物阅读

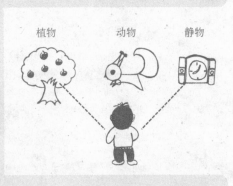

写景状物类文章阅读入门

在语文课本和课外阅读中，我们常常会见到一些介绍、描述类文章。这些文章有些是描写自然现象（如风、雨、雪）、地理环境（如森林、高山）、名胜古迹（如故宫、大雁塔）的，我们称做写景类文章；有些是描述事物的，如动物、植物、静物，我们称做状物类文章。小学低年级学生对这类描述性文章首先有个初步概念，从类别上分清什么是写景类文章，什么是状物类文章，才能进行有效的阅读。

那么，怎样初步阅读简单的写景状物类文章呢？一般可以从以下几方面进行：

1 初读全文，把握整体印象

首先通读一遍，想一想文章大体上讲什么，是描写自然风光的，还是介绍人们生活周围的环境景色的；是描写动物的，还是描写植物或者静物的。有了初步的印象，阅读时就可以根据不同类别、不同特点采取不同的方法。这一过程中，还应把不认识的字、不理解的词圈出来，查字典或词典弄清楚，为后面的阅读扫清障碍。

植物　　动物　　静物

2 细读文章，初步了解描写顺序，抓住事物特点

第二遍要较细致地阅读，理解重点词语，读懂每一句话，注意句与句之间的联系，把文章所写的景物或事物的特点阅读明白。

阅读写景类文章，我们要学会分析它是按照什么顺序来写的。一般来说，作者常常采取这样几种顺序：①按时间变化顺序来写；②按空间位置变化来写，如从上到下、从远到近、从四周到中间等；③按观察的先后顺序来写。

阅读状物类文章，我们要看它抓住了事物的什么特点来写。写动物，一般抓住它的外形、动态、生活习性等；写植物，一般抓住它的形状、颜色、滋味等；写静物，一般抓住它的样子、结构、用途等。

初步弄清以上要素，对于我们以后的进一步阅读和写作都大有好处。

3 反复朗读，欣赏品味

课本中收入的和我们平常接触到的写景状物类文章，都是精选出来的优秀文章，无论是字、词、句的运用，还是布局谋篇都值得大家学习、模仿。阅读时最好带着欣赏的眼光，多读几遍仔细品味，其中的名言名句、优美的词语和巧妙的修辞方法可以进行摘录或背下来，融会贯通，从而丰富自己的"语言宝库"，迅速提高语文水平。

哇，好词，好句真多！

训练6

dōng
冬

dōngtiān shì ge mó shù shī   tā   hū   de yì chuī   wéi jīn a   mián yī
冬天是个魔术师。他"呼"地一吹，围巾啊、棉衣
a shǒu tào a   dōu cóng yī guì li pǎo chū lái   jiē shang de rén dōu biàn pàng le
啊、手套啊，都从衣柜里跑出来，街上的人都变胖了。

阅 读 练 习

qǐng nǐ yě dāng yí cì mó shù shī   bǎ xià liè zì xíng biàn yí biàn
1. 请你也当一次魔术师，把下列字形变一变。

gěi rì zì jiā yì bǐ   néng biàn chéng
给"日"字加一笔，能变成＿＿＿、＿＿＿、＿＿＿。

gěi rén zì jiā liǎng bǐ   néng biàn chéng
给"人"字加两笔，能变成＿＿＿、＿＿＿、＿＿＿。

gěi yě zì jiā piānpáng néngbiànchéng
给 "也" 字加偏旁，能变成 ＿＿＿＿、＿＿＿＿、＿＿＿＿。

dú yì dú jì xù wǎngxià shuō cí yǔ
2. 读一读，继续往下说词语。

wéi jīn mián yī shǒutào
围巾、棉衣、手套、……

huáng sè lǜ sè hóng sè
黄色、绿色、红色、……

qīngwā cì wei shé
青蛙、刺猬、蛇、……

zhào yàng zi xiě jù zi
3. 照样子，写句子。

shǒutào cóng yī guì li pǎochū lái
手套从衣柜里跑出来。

cóng zǒuguò lái
从＿＿＿＿＿ 走过来。

cóng
从＿＿＿＿＿＿＿＿＿＿＿＿。

阅读
小学一年级
18

dōngtiān shì ge móshùshī zhè jù huà bǎ dāngzuò lái xiě
4. "冬天是个魔术师" 这句话把＿＿＿＿＿ 当做＿＿＿＿＿ 来写。

jiē shang de rén wèishénme dōubiànpàng le qǐng zài zhèngquè shuō fǎ hòu dǎ
5. 街上的人为什么都变胖了？请在正确说法后打 "√"。

móshù shī biàn de
A. 魔术师变的。 （ ）

dōngtiān rénmen chī de hǎo
B. 冬天人们吃得好。 （ ）

rénmen chuānshàng le dōngtiān fánghán de yī fu
C. 人们穿上了冬天防寒的衣服。 （ ）

rénmen bào le yí dà duī wéi jīn mián yī shǒutào
D. 人们抱了一大堆围巾、棉衣、手套…… （ ）

练兵场
训练 7

wù
雾

zǎochén bái mángmáng de yí piàn dà wù yuǎnchù de tǎ xiǎoshān dōu wàng
早晨，白茫茫的一片大雾。远处的塔、小山都望

bú jiàn le　　jìn chù de tián yě　　shù lín xiàng gé zhe yì céngshā　　mó mó hu hu kàn

不见了。近处的田野、树林像隔着一层纱，模模糊糊看

bu qīng

不清。

阅 读 练 习

zhàoyàng zi　　shuō cí yǔ

1. 照 样 子，说 词 语。

báimángmáng

白茫茫 _____　_____

mó mó hu hu

模模糊糊 _____　_____

zhèduànhuàgòngyǒu　　　　　　jù huà

2. 这 段 话 共 有 _____ 句 话。

zhèduànhuàxiě le wǔzhǒng nǎ jǐ zhǒngjǐng wù　　àn wénzhōngshùn xù xiě xià lái

3. 这 段 话 写 了 雾 中 哪 几 种 景 物？按 文 中 顺 序 写 下 来。

zuòzhěguānchá wù zhōngjǐngxiàng de shí jiān shì

4. 作 者 观 察 雾 中 景 象 的 时 间 是 _____。

zhèduànhuàzhōng de　　yì céngshā　　zhǐ de shìshénme

5. 这 段 话 中 的 "一 层 纱" 指 的 是 什 么？

_____

练兵场
训练 8

hé yè yuányuán

荷 叶 圆 圆

hé yèr yuán yuán de　　lǜ lǜ de　　xiǎo shuǐ zhū shuō　　wǒ de

荷 叶 儿 圆 圆 的，绿 绿 的。小 水 珠 说："我 的 (yáo

lán)

lán)。" 他 躺 在 荷 叶 上，睁 着 亮 亮 的 眼 睛，望 着 蓝 蓝 的

tā tǎng zài hé yè shang　　zhēngzheliàngliàng de yǎn jing　　wàngzhe lán lán de

tiān kōng　　mànmànzhǎng dà　　xiǎoqīng tíng shuō　　wǒ de　　tā

天 空，慢 慢 长 大。小 蜻 蜓 说："我 的 (jī chǎng)。" 他

tíng zài hé yè shang　　bǎi de píngpíng de　　wěi ba qiào de gāogāo

停 在 荷 叶 上，(chì bǎng) 摆 得 平 平 的，尾 巴 翘 得 高 高

de duō piàoliang de xiǎo fēi jī xiǎoqīng wā shuō wǒ de tā
的，多漂亮的小飞机。小青蛙说："我的（gē tái）。"他
dūn zài hé yè shang dèngzhe dà dà de yǎn jing zhāngzhekuānkuān de
蹲在荷叶上，瞪着大大的眼睛，张着宽宽的（zuǐ ba），
fàngshēng gē chàng xiǎopéngyoushuō wǒ de tā zhāipiàn
放声歌唱。小朋友说："我的（liáng mào）。"他摘片
hé yè dài zài tóu shang zhē zhù huǒ là là de tài yáng duō kě ài de hé yèr
荷叶，戴在头上，遮住火辣辣的太阳。多可爱的荷叶儿。

阅 读 练习

dú pīn yīn xiě cí yǔ kàn nǐ néng xiě jǐ ge
1. 读拼音，写词语，看你能写几个。

yáo lán　　　　jī chǎng　　　　chì bǎng

gē tái　　　　zuǐ ba　　　　liáng mào

zài kuòhào li tiánshàngshìdàng de cí
2. 在括号里填上适当的词。

de yǎnjing　　　　de tài yáng　　　　de wá wa
（　　　）的眼睛　　　（　　　）的太阳　　　（　　　）的娃娃

bǎi de　　　　qiào de
摆得（　　　）　　　翘得（　　　）

xiǎoshuǐzhū bǎ hé yè dāngchéng　　　　xiǎoqīngtíng bǎ hé yè dāngchéng
3. 小水珠把荷叶当成_____，小蜻蜓把荷叶当成_____，
xiǎoqīngwā bǎ hé yè dāngchéng　　　　xiǎopéngyou bǎ hé yè dāngchéng
小青蛙把荷叶当成_____，小朋友把荷叶当成_____。

qǐng nǐ shì zhehuà yì zhāng hé yè tú shàngmianyàoyǒuxiǎoshuǐzhū xiǎoqīngtíng xiǎoqīngwā
4. 请你试着画一张荷叶图，上面要有小水珠、小蜻蜓、小青蛙。

zǎo shù
枣 树

wǒ jiā yuàn zi li yǒu yì kē gǔ lǎo ér yòu gāo dà de zǎo shù chūntiān zǎo
我家院子里有一棵古老而又高大的枣树。春天，枣

shùshang kāi mǎn le qiǎnhuáng sè de zǎo huā xià tiān huā luò le zǎo shùshang jiē
树上开满了浅黄色的枣花。夏天，花落了，枣树上结

mǎn le xiǎoqīng zǎo dào le qiū tiān xiǎoqīng zǎo mànmàn de biàn hóng le biànchéng
满了小青枣。到了秋天，小青枣慢慢地变红了，变成

le hěn dà hěn dà de hóng zǎo zhè shí shùshanghǎoxiàngguàmǎn le xiǎodēnglong
了很大很大的红枣。这时，树上好像挂满了小灯笼。

wǒ hé xiǎopéngyǒuzhàn zài shù xià tái tóu wàngzhe zhè xiē hónghóng de dà zǎo zhēn
我和小朋友站在树下，抬头望着这些红红的大枣，真

gāoxìng a qiū mò dōngchū wǒ men chī zhe yòuhóngyòu tián de dà zǎo xīn li shí
高兴啊！秋末冬初，我们吃着又红又甜的大枣，心里十

fēn gǎn jī zhòngzǎo shù de rén
分感激种枣树的人。

阅读

小学一年级

21

阅读练习

rú guǒchá zì diǎn xià mian de zì fēn bié chá shénme bù shǒu
1. 如果查字典，下面的字分别查什么部首？

mǎn   bù   xià   bù   chū   bù
满（   ）部   夏（   ）部   初（   ）部

zài kuòhào li tián shàng hé shì de cí yǔ
2. 在括号里填上合适的词语。

de zǎoshù   de zǎohuā
（   ）的枣树   （   ）的枣花

de dà zǎo   de xiǎodēnglong
（   ）的大枣   （   ）的小灯笼

shùshanghǎoxiàngguàmǎn le xiǎodēnglong yí jù zhōng xiǎodēnglong zhǐ de shì
3. "树上好像挂满了小灯笼"一句中，"小灯笼"指的是＿＿＿

＿＿＿＿＿＿＿＿＿＿＿＿＿＿＿＿＿＿＿＿＿。

xiǎng yì xiǎngzǎoshù zài bù tóng jì jié zhōng de biànhuà zài tiánkòng
4. 想一想枣树在不同季节中的变化再填空。

chūntiān zǎoshùshàng
春天，枣树上＿＿＿＿＿＿＿＿＿＿＿＿＿＿＿；

xià tiān　　zǎoshùshàng
夏天，枣树上＿＿＿＿＿＿＿＿＿＿＿＿＿＿＿＿＿＿＿＿＿＿＿；

qiū tiān　　zǎoshùshàng
秋天，枣树上＿＿＿＿＿＿＿＿＿＿＿＿＿＿＿＿＿＿＿＿＿＿＿。

yòng　　xiàng　　zào jù
5. 用"……像……"造句。

＿＿＿＿＿＿＿＿＿＿＿＿＿＿＿＿＿＿＿＿＿＿＿＿＿＿＿＿＿＿＿

练兵场　训练10

sēn lín dà jiē
森林大街

sēn lín dà jiē ya　　　　dào chù dōu shì lù sè de shāngdiàn　　　lù sè de dì tān
森林大街呀，到处都是绿色的商店，绿色的地摊，

lù sè de bǎi huò dà lóu ne
绿色的百货大楼呢。

nǐ yào mó gu ma　　dà lán xiǎo lán　　rèn nǐ cǎi
你要蘑菇吗？大篮小篮，任你采。

nǐ yào cǎo méi ma　　dà bǎ xiǎo bǎ　　rèn nǐ zhāi
你要草莓吗？大把小把，任你摘。

nǐ yào yě huā ma　　dà duǒ xiǎo duǒ　　rèn nǐ tiāo
你要野花吗？大朵小朵，任你挑……

nà yào duōshaoqián ne　　hāi　sēn lín dà jiē　mǎidōng xi bú yào qián　zhǐ
那要多少钱呢？嗨，森林大街，买东西不要钱。只

yào nǐ liú xià yí chuànjiǎo yìn　liǎng kē hàn zhū　sān shǒu gē　nǐ yàoshén me jiù
要你留下一串脚印、两颗汗珠、三首歌，你要什么就

ná shén me
拿什么！

阅读练习

xuǎn zì tiánkòng　zài dú yì dú　zhù yì dú chū bù tóng de yǔ qì
1. 选字填空，再读一读，注意读出不同的语气。

ba　　ma　　le　　ne　　a　　la
吧　　吗　　了　　呢　　啊　　啦

(1) 这是怎么回事（　　）？
zhè shì zěn me huí shì

(2) 喂，别跑（　　）！
wèi　bié pǎo

(3) 往日清清的溪水变成浑浑的（　　）。
wǎng rì qīng qīng de xī shuǐ biàn chéng hún hún de

(4) 现在可以把你的绿铅笔借给我了（　　）。
xiàn zài kě yǐ bǎ nǐ de lǜ qiān bǐ jiè gěi wǒ le

(5) 把你的绿铅笔借给我用一用，行（　　）？
bǎ nǐ de lǜ qiān bǐ jiè gěi wǒ yòng yí yòng　xíng

(6) 雪花多美（　　）！
xuě huā duō měi

2. 选词填空。
xuǎn cí tián kòng

串　棵　片　条　颗　首
chuàn　kē　piàn　tiáo　kē　shǒu

一（　　）竹林　一（　　）歌曲　一（　　）白菜
yí　zhú lín　　yì　gē qǔ　　yì　bái cài

一（　　）脚印　一（　　）小河　一（　　）汗珠
yí　jiǎo yìn　　yì　xiǎo hé　　yì　hàn zhū

3. 短文第一句话是什么意思？（　　）
duǎn wén dì yī jù huà shì shén me yì si

A. 森林里有一条大街。
sēn lín li yǒu yì tiáo dà jiē

B. 人们把商业区设在了森林里。
rén men bǎ shāng yè qū shè zài le sēn lín li

C. 森林里的商店、地摊、百货大楼都涂成了绿色。
sēn lín li de shāng diàn　dì tān　bǎi huò dà lóu dōu tú chéng le lǜ sè

D. 森林里物产丰富，要什么有什么。
sēn lín li wù chǎn fēng fù　yào shén me yǒu shén me

4. 在森林大街，为什么买东西不要钱？想一想我们应该做些什么？
zài sēn lín dà jiē　wèi shén me mǎi dōng xi bú yào qián　xiǎng yì xiǎng wǒ men yīng gāi zuò xiē shén me

_____

_____

chú le mó gu   cǎoméi   yě huā   nǐ zhīdàosēn lín li háiyǒushénme   shuō de yuèduōyuèhǎo
5. 除了蘑菇、草莓、野花,你知道森林里还有什么? 说得越多越好。

_____

训练11

mǎ yǐ chī qīngchóng
蚂蚁吃青虫

mǎ yǐ chī qīngchóngzhēnyǒu qù   yì tiānbàngwǎn   wǒ kàn jiàn yì qún mǎ yǐ tuō
蚂蚁吃青虫 真有趣! 一天傍晚,我看见一群蚂蚁拖
lái le yì tiáo dà qīngchóng   dào le dòngkǒu tuō yě tuō bú jìn qù   tā men bù yǎoqīng
来了一条大青虫,到了洞口拖也拖不进去。它们不咬青
chóng de pí   quèzhuānkěn qīngchóng de zuǐ   yǒu de mǎ yǐ háicóngqīngchóng de zuǐ
虫的皮,却专啃青虫的嘴,有的蚂蚁还从青虫的嘴
li zuān jìn qù   dì èr tiān zǎochén   wǒ fā xiàn mǎ yǐ dòngkǒu de dà qīngchóng zhǐ
里钻进去。第二天早晨,我发现蚂蚁洞口的大青虫只
shèng xià yì zhāng pí le
剩下一张皮了。

阅 读 练 习

dú xiàmian de cí yǔ   zhù yì   yī de dú fǎ   biāoshàngshēngdiào
1. 读下面的词语,注意"一"的读法,标上 声调。
   yi tiān   yi dào   yi zhāng   yi kàn   yi dìng   yi tóng
   一天   一道   一张   一看   一定   一同

wǒ liǎng cì kàn mǎ yǐ chīqīngchóng   dì yī cì shíjiān shì   dì èr cì shíjiān shì
2. "我"两次看蚂蚁吃青虫,第一次时间是_____,第二次时间是

_____。

yòng   huàchūmiáoxiě mǎ yǐ chīqīngchóngdòngzuò de cí yǔ
3. 用"~~~"画出描写蚂蚁吃青虫 动作的词语。

mǎ yǐ shìzěnyàngchīqīngchóng de
4. 蚂蚁是怎样吃青虫 的?

shǒuxiān
   首先:_____;

ránhòu
然后: _____;

zuìhòu　chīdiào le qīngchóng de ròu
最后，吃掉了青虫的肉。

wèishénme dì èr tiānzǎochén　dà qīngchóng zhǐshèngxià yì zhāng pí le
5. 为什么第二天早晨，大青虫只剩下一张皮了?

yīn wèi
因为 _____。

fǎngzhào lì zi zào jù
6. 仿照例子造句。

mǎ yǐ chīqīngchóngzhēnyǒu qù
蚂蚁吃青虫真有趣!

zhēn
真 _____

zhēn
真 _____

练兵场
训练 12

dà　gōng　jī
大 公 鸡

wǒ jiā yǒu yì zhī　měiguān piàoliang de dà gōng jī quán jiā rén dōu hěn
我家有一只（美观　漂亮）的大公鸡，全家人都很
xǐ huan rè ài tā dà gōng jī de tóushangzhǎngzhehónghóng de
（喜欢　热爱）它。大公鸡的头上长着红红的冠（guàn
guān） zi zuǐ jiān jiān de chī qǐ shí lái hái fā chū dū dū de
guān）子，嘴尖尖的，吃起食来还发出"嘟嘟"的
jiàoshēng shēngxiǎng yǎn jing hòumianyǒu yì xiǎo tū chū
（叫声　声响）。眼睛后面有一小撮（zuǒ cuō）突出
de máo máo dǐ xia shì xiǎoxiǎo de ěr duo dà gōng jī de shēnshangzhǎngmǎnyóuliàng
的毛，毛底下是小小的耳朵。大公鸡的身上长满油亮
yóuliàng de yǔ máo xiàng zhe yí jiàn wǔ cǎi de yī fu xì cháng
油亮的羽毛，像披（pēi pī）着一件五彩的衣服。细长
de tuǐ shangyǒu jīn huáng sè de zhuǎ zi chángcháng de wěi ba xiàngshàngqiàozhe tā
的腿上有金黄色的爪子，长长的尾巴向上翘着。它

zǒu qǐ lù lái　tǐng　áng　zhe tóu　yǒu shí hái pāi dǎ zhe cǎi sè de chì

走起路来（挺　昂）着头，有时还拍打着彩色的翅（chì

bǎng　　ō　ō　ō　de jiào　tā nà yàng zi zhēn　wēi wǔ　wēi měng

cì）膀，"喔喔喔"地叫，它那样子真（威武　威猛）。

阅读练习

jiāng wén zhōng dài diǎn zì de cuò wù yīn jié huà qù

1. 将文中带点字的错误音节划去。

zài wén zhōng de kuò hào li yòng de qià dàng de cí yǔ xià mian huà

2. 在文中的括号里用得恰当的词语下面画"＿＿＿"。

qǐng nǐ lián xiàn　bāng zhè xiē cí yǔ zhǎo péng you ba

3. 请你连线，帮这些词语找朋友吧。

hóng hóng de	chì bǎng	jiān jiān de	ěr duo
红红的	翅膀	尖尖的	耳朵
wǔ cǎi de	yī fu	xiǎo xiǎo de	zuǐ
五彩的	衣服	小小的	嘴
jīn huáng sè de	zhuǎ zi	xì cháng de	wěi ba
金黄色的	爪子	细长的	尾巴
cǎi sè de	guān zi	cháng cháng de	tuǐ
彩色的	冠子	长长的	腿

阅读
小学一年级

26

zài měi jù huà de kāi tóu biāo shàng xù hào　shǔ yì shǔ zhè duàn huà gòng yǒu jǐ jù

4. 在每句话的开头标上序号，数一数这段话共有几句。

zuò zhě àn yí dìng de shùn xù miáo xiě le dà gōng jī de nǎ xiē dì fang

5. 作者按一定的顺序描写了大公鸡的哪些地方？

（　　）→（　　）→（　　）→（　　）→（　　）→

（　　）→（　　）→

训练13

lè shān dà fó

乐山大佛

lè shān dà fó míng wén hǎi nèi wài　lìng rén shén wǎng　shì zhōng guó　yě shì

乐山大佛名闻海内外，令人神往，是中国，也是

shì jiè shang zuì dà de shí fó xiàng   tā zuò luò zài
世界上最大的石佛像。它坐落在
sì chuān shěng lè shān shì dōng jiāo líng yún xī bì
四川省乐山市东郊凌云西壁，
táng kāi yuán yuán nián   yóu zhù míng hé shàng hǎi tōng
唐开元元年，由著名和尚海通
qǐng shí jiàng kāi záo   gōng chéng jìn xíng le   nián
请石匠开凿，工程进行了90年
cái wán chéng   dà fó tóu yǔ shān qí   jiǎo tà qīng
才完成。大佛头与山齐，脚踏青
yī jiāng   shēn gāo   mǐ   jiān kuān   mǐ   tóu
衣江，身高71米，肩宽28米，头
gāo   mǐ   tóu kuān   mǐ   yǎn cháng
高14.7米，头宽10米，眼长3.3
mǐ   ěr cháng   mǐ   tóu dǐng kě   yǐ fàng yì zhāng chī fàn zhuō   ěr duo zhōng jiān kě
米，耳长7米。头顶可以放一张吃饭桌，耳朵中间可
yǐ bìng lì liǎng ge rén   jiǎo shang kě yǐ wéi zuò yì bǎi yú rén   yǒu rén bǐ yù   fó
以并立两个人，脚上可以围坐一百余人。有人比喻"佛
shì yí zuò shān   shān shì yì zūn fó
是一座山，山是一尊佛"。

阅读练习

nǐ zhī dào xià mian jù zi zhōng jiā diǎn de zì cí shì shén me yì si ma   qǐng zài zhèng què de jiě
1. 你知道下面句子中加点的字词是什么意思吗？请在正确的解
shì hòu dǎ
释后打"√"。

lè shān dà fó míng wén hǎi nèi wài
(1) 乐山大佛名闻海内外。

tīng jiàn
A. 听见。（   ）

tīng jiàn de shì qing   xiāo xi
B. 听见的事情；消息。（   ）

tīng dào míng shēng   yǒu míng   yǒu míng wàng de
C. 听到名声；有名；有名望的。（   ）

yòng bí zi xiù
D. 用鼻子嗅。（   ）

tā zuò luò zài sì chuān shěng lè shān shì dōng jiāo líng yún xī bì
(2) 它坐落在四川省乐山市东郊凌云西壁

gù dìng de mǒu ge dì fang
A. 固定的某个地方。（   ）

tǔ dì huòjiànzhù wù wèi zhi
B. 土地或建筑物位置。（　　）

gōngrénzuò de dì fang
C. 供人坐的地方。（　　）

bèi duìzhemǒu yì fāngxiàng
D. 背对着某一方向。（　　）

lè shān dà fó shìshénme shíhoujiànzào de zàishénme dì fang
2. 乐山大佛是什么时候建造的？在什么地方？

_____

xiān àn duǎnwénnèiróngtiánkòng zàifǎng lì xiě liǎng jù huà
3. 先按短文内容填空，再仿例写两句话。

lè shān dà fó de tóudǐngkě yǐ
乐山大佛的头顶可以_____；

ěr duozhōngjiān kě yǐ
耳朵中间可以_____；

jiǎoshang kě yǐ
脚上可以_____。

kě yǐ
可以_____
_____
kě yǐ
可以_____

yòng   huàchūduǎnwénzuìhòu yí jù huà bìngshuōshuo tā shìshénme yì si
4. 用"﹏﹏"画出短文最后一句话，并说说它是什么意思。

训练14

bào   yǔ
暴   雨

gāngcái hái shì liè rì yán yán   bì kōngwàn lǐ   yì zhuǎnyǎnkuángfēng dà zuò
刚才还是烈日炎炎，碧空万里，一转眼狂风大作，
bǎ lù biān de shù guā de dōngdǎo xī wāi   tiān sè tū rán àn xià lái   bànkōngzhōng
把路边的树刮得东倒西歪。天色突然暗下来，半空中
yí dà kuài yí dà kuài huī hēi sè de yún chà yì diǎn cā zháogāo lóu de lóu dǐng   bù yí
一大块一大块灰黑色的云差一点擦着高楼的楼顶，不一

会儿，就连成一片，像一块巨大的黑布（盖　蒙　遮）住了天空，一点一点（降　落　压）下来。一阵震耳欲聋的雷声响过，大雨像一片巨大的瀑布铺天盖地地卷了过来。

阅 读 练 习

1. 联系上下文，用"\"划掉（　　）里不恰当的字。

2. 在这段话里哪些词语表示时间短，速度快？

_____ _____

3. 选合适的词语填空。

（巨大的瀑布　　巨大的黑布）

(1) 乌云连成一片，像（　　）遮住了天空。

(2) 大雨像一片（　　）铺天盖地地卷了过来。

4. 对照这段话，把下面的句子按一定的次序排列，标上序号。

（　　）大雨铺天盖地地卷过来。

（　　）响起一阵震耳欲聋的雷声。

（　　）狂风把路边的树刮得东倒西歪。

（　　）灰黑色的乌云连成一片。

简单的写人记事阅读

写人记事类文章阅读入门

除了前面说的写景状物类文章，小学生常接触到的还有一些描写活生生的人物、记叙一件或几件事情的文章，我们称做写人记事类文章。例如语文课本（人教版）中的《难忘的一天》《诚实的孩子》等等。写人文章，以表现人物为重点；记事文章，侧重于记叙某件事。

初步阅读写人记事类文章，一般应注意以下方面：

▊ 会寻找"六要素"

记人叙事离不开人物、时间、地点与事情的起因、发展、结果这六个要素。我们在开始阅读这类文章时，就要初步了解这件事发生在什么时间、什么地点，涉及到哪些人物，主要人物是谁。事情是怎样发生的，又是怎样发展的，结果是什么。有些要素在文中没有直接点出来，这可能有两个原因：一是没有必要，我们可以不去管它；二是可以通过上下文或字里行间推测到这些要素。如果能很快弄清这"六要素"，事情的来龙去脉就很清晰，文

章的内容也就初步把握了。当然，初读文章时，有不认识的生字、新词，还需要查字典或词典把它们弄清楚。

2 学习体会人物特点

有些文章，通过具体事情在我们眼前展现出一个个相貌不同、性格各异、品质感人的人物形象，阅读时要注意初步体会这些人物的性格特点和精神世界。我们可以从人物的外貌、语言、动作、心理活动等方面描写来品味。一些关键性词语，或者含义较深、理解起来有难度的句子，我们还要结合自己的生活经历和感受，或者在了解文章的时代背景的基础上逐步琢磨，不懂的应请教老师或家长。

3 朗读全文，感受语言文字

在通读文章、仔细体会后，这件事或某个人物已经在你脑海中留下了深刻鲜明的印象，这时候，我们就应该带着感情朗读全文，特别是一些精彩节段，在朗读的基础上能记忆在脑中，达到会背，将会使自己收益更大。

训练 15

míng zi de lái lì
名字的来历

qián zhōng shū shì yí wèi dà xué wen jiā　　tā yì zhōu suì de shí hou　yǒu yì tiān
钱钟书是一位大学问家。他一周岁的时候，有一天
fù mǔ zài tā miànqián bǎi le xǔ duō dōng xi　kàn tā xǐ huan nǎ yí yàng　zhè xiē dōng
父母在他面前摆了许多东西，看他喜欢哪一样。这些东
xi yǒu wán de　chī de　hái yǒu shū　qián zhōng shū bié de dōu bú yào　shēn shǒu
西有玩的、吃的、还有书。钱钟书别的都不要，伸手
jiù ná le yì běn shū　bà ba mā ma fēi cháng gāo xìng　jiù gěi tā qǔ le yí ge míng
就拿了一本书。爸爸妈妈非常高兴，就给他取了一个名
zi　jiào zhōng shū　　zhōng　jiù shì xǐ ài de yì si
字，叫"钟书"——"钟"就是喜爱的意思。
qián zhōng shū yì shēng ài shū　hái xiě chū le xǔ duō hǎo shū ne
钱钟书一生爱书，还写出了许多好书呢。

阅 读 练 习

gěi xià liè zì jiā shàngpiānpáng　zǔ chéng xīn zì　zài zǔ cí
1. 给下列字加上 偏旁，组 成 新字，再组词。

zhōng
中——（　　　　　）——（　　　　　）

yuè
月——（　　　　　）——（　　　　　　）

fā
发——（　　　　　）——（　　　　　　）

bú kàn yuán wén　　xià mian yí jù huà de pīn yīn yīn diào zěn me biāo
2. 不看原文，下面一句话的拼音音调怎么标？

qian zhong shu shi yi wei da xue wen jia
钱钟书是一位大学问家

wǒ lái wèn　　nǐ lái dá
3. 我来问，你来答。

qián zhōng shū de　zhōng　shì　　　　　　　　　　de yì si　zhōng shū
（1）钱钟书的"钟"是＿＿＿＿＿＿＿＿的意思，"钟书"

jiù shì　　　　　　　　　　　　　　　de yì si
就是＿＿＿＿＿＿＿＿＿＿的意思。

qián zhōng shū de míng zi shì zěn me lái de　yòng zì jǐ de huà shuō yì shuō
（2）钱钟书的名字是怎么来的？用自己的话说一说。

阅读
小学一年级

qǐng nǐ wèn wen bà ba　mā ma　　nǐ de míng zi shì shén me yì si　bìng qiě shuō gěi xiǎo péng
32
4. 请你问问爸爸、妈妈，你的名字是什么意思，并且说给小朋

yǒu tīng ting
友听听。

练兵场　训练16

wèi le bú ràng hú dié bèi cì shāng
为了不让蝴蝶被刺伤

xiǎo zhuó yà zài huā yuán zhōng wán　　tā zǒu jìn le yì kē cì huái　cì huái shàng
小卓娅在花园中玩，她走近了一棵刺槐。刺槐上

mian yǒu jiān jiān de cì　yì zhī piàoliang de hú dié zhèng zài cì huái shang fēi　āi yō
面有尖尖的刺，一只漂亮的蝴蝶正在刺槐上飞。哎哟，

tā zěn me bú hài pà ya　yào shì fēi dào le cì shang　nà huì zěn me yàng a
她怎么不害怕呀！要是飞到了刺上，那会怎么样啊？

zhuó yà zǒu dào cì huái gēn qián　zhāi xià le yì kē cì　liǎng kē　sān kē
卓娅走到刺槐跟前，摘下了一棵刺、两棵、三棵。

mā ma kàn dào le jiù wèn tā
妈妈看到了就问她：

zhuó yà nǐ zài gànshénme gàn má yào zhāi cì a
"卓娅，你在干什么？干吗要摘刺啊？"

wèi le bú ràng hú dié bèi cì shāng zhuó yà huí dá
"为了不让蝴蝶被刺伤。"卓娅回答。

阅 读 练 习

zài   li tiánshàng hé shì de cí yǔ
1. 在（   ）里填上合适的词语。

de cì   de hú dié
（   ）的刺   （   ）的蝴蝶

de yè   de yàn zi
（   ）的叶   （   ）的燕子

de jīng   de lǎo hǔ
（   ）的茎   （   ）的老虎

de téng   de hú li
（   ）的藤   （   ）的狐狸

lǎng dú xià mian de huà   yīng gāi dú chū shénme yǔ qì
2. 朗读下面的话，应该读出什么语气？

āi yō   tā zěnme bú hài pà yā
(1) 哎哟，她怎么不害怕呀！（   ）

jīng qí jiāo jí   zàn tàn pèi fú
A. 惊奇、焦急   B. 赞叹、佩服

yào shì fēi dào le cì shang nà huì zěnmeyàng a
(2) 要是飞到了刺上，那会怎么样啊？（   ）

dān xīn jiāo lǜ   yí huò bù jiě
A. 担心、焦虑   B. 疑惑不解

zhuó yà nǐ zài gànshénme gàn má yào zhāi cì a
(3) 卓娅，你在干什么？干吗要摘刺啊？（   ）

fèn nù   qí guài zé bèi
A. 愤怒   B. 奇怪、责备

kàndào hú diézhèng zài cì huái shang fēi zhuó yà shì zěnme xiǎng de yòng   zài wén
3. 看到蝴蝶正在刺槐上飞，卓娅是怎么想的？用"﹏﹏"在文
zhōnghuàchū zhuó yà de xīn lǐ huódòng
中画出卓娅的心理活动。

zhuó yà wèishénme yào zhāi xià cì huái shang de cì ne
4. 卓娅为什么要摘下刺槐上的刺呢？

dá ěr wén de gù shi
达尔文的故事

dá ěr wén cóng xiǎo xǐ huan yán jiū shēng wù
达尔文从小喜欢研究生物。

yǒu yí cì dá ěr wén zài yě wài kàn dào yì zhī cóng lái méi jiàn guò de kūnchóng
有一次，达尔文在野外看到一只从来没见过的昆虫，

jiù yòng zuǒ shǒu zhuā zhù tā zhè shí tā kàn dào le lìng yì zhī cóng lái méi jiàn guò de
就用左手抓住它。这时，他看到了另一只从来没见过的

kūnchóng gǎn jǐn yòng yòu shǒu zhuā zhù tā shéi zhī dào yòu fēi lái yì zhī gèng jiā xī
昆虫，赶紧用右手抓住它。谁知道又飞来一只更加稀

qí de kūnchóng dá ěr wén xiǎng mǎ shàng zhuā zhù tā kě shì yòu shě bu de fàng
奇的昆虫。达尔文想马上抓住它，可是，又舍不得放

diào shǒu li de kūnchóng zěn me bàn ne tā lián máng bǎ shǒu li de kūnchóng fàng dào
掉手里的昆虫。怎么办呢？他连忙把手里的昆虫放到

zuǐ li téng chū yòu shǒu zhuā zhù nà zhī xī qí de kūnchóng jǐn guǎn nà zhī kūnchóng
嘴里，腾出右手抓住那只稀奇的昆虫。尽管那只昆虫

zài dá ěr wén de zuǐ li fàng chū yòu là yòu kǔ de yè tǐ kě shì tā rěn zhe
在达尔文的嘴里放出又辣又苦的液体，可是，他忍着，

jǐn mǐn zhe zuǐ ba pǎo huí jiā xiǎo xīn de bǎ sān zhī kūnchóng zhuāng jìn bō li hé
紧抿着嘴巴跑回家，小心地把三只昆虫 装 进玻璃盒，

zǐ zǐ xì xì de yán jiū qǐ lái
仔仔细细地研究起来。

dá ěr wén zhǎng dà hòu chéng le yīng guó yǒu míng de shēng wù xué jiā
达尔文长大后成了英国有名的生物学家。

阅读练习

gěi xià liè cí yǔ huàn yí ge yì si xiāng tóng huò xiāng jìn de shuō fǎ
1. 给下列词语换一个意思相同或相近的说法。

xǐ huan   xī qí
喜欢——   稀奇——

lián máng   yǒu míng
连忙——   有名——

2. 根据短文内容填空。

　　　　dá ěr wén shì　　　　　guórén　　tā xiǎoshíhou xǐ huan　　　　　zhǎng dà
　　(1) 达尔文是（　　）国人，他小时候喜欢（　　），长大
yǐ hòuchéng le yǒumíng de
以后成了有名的（　　）。

　　　　dá ěr wén yí gòngzhuāzhù le　　　　　　zhī kūnchóng　tā bǎ kūnchóngzhuāng jìn
　　(2) 达尔文一共抓住了（　　）只昆虫，他把昆虫装进
　　　　li zǐ xì yán jiū
（　　）里仔细研究。

nǎ jù huàzuìnéngkànchū dá ěr wén xǐ huanyán jiū kūnchóng　yòng　　　　huàchū lái
3. 哪句话最能看出达尔文喜欢研究昆虫？用"＿＿"画出来。

zào jù
4. 造句。

　　xiǎoxīn
　　小心——＿＿＿＿＿＿＿＿＿＿＿＿＿＿＿＿＿

　　zǐ zǐ xì xì
　　仔仔细细——＿＿＿＿＿＿＿＿＿＿＿＿＿＿

练兵场
训练18

ài dòngnǎo jīn de hái zi
爱动脑筋的孩子

huà tuó shì wǒ guó gǔ dài de míng yī
华佗是我国古代的名医。
huà tuó qī suì shí　　fù qīn jiù qù shì le　　tā měi tiānbāngzhù mǔ qīn dǎ chái
华佗七岁时，父亲就去世了。他每天帮助母亲打柴、
fàng niú　yǎngcán
放牛、养蚕。
yǒu yì tiān　　huà tuó hé jǐ ge xiǎopéngyou yì qǐ zhāisāng yè　　yí wèi lǎo yé
有一天，华佗和几个小朋友一起摘桑叶，一位老爷
ye lù guò　wèn tā men　shéinéngzhāi xià shùdǐngshang de yè zi　xiǎopéngyou
爷路过，问他们："谁能摘下树顶上的叶子？"小朋友
men tái tóu yí kàn　shù nà me gāo　shùdǐngshang de zhī tiáo nà me xì　gēn běn
们抬头一看：树那么高，树顶上的枝条那么细，根本
shàng bú qù ya
上不去呀！

huà tuó xiǎng le xiǎng zhǎo lái yì gēn
华佗想了想，找来一根
shéng zi zài shéng zi yì tóu shuān le
绳子，在绳子一头拴了
kuài shí tóu bǎ shí tou pāo guò zhī tiáo
块石头，把石头抛过枝条，
zhī tiáo jiù bèi yā wān le tā yòu yòng
枝条就被压弯了。他又用
shuāngshǒu shǐ jìn zhuāishéng zi zhī tiáo
双手使劲拽绳子，枝条
gèng dī le zhèyàng tā jiù zhāidào shù
更低了。这样，他就摘到树
dǐngshang de yè zi le
顶上的叶子了。

lǎo yé ye xiào le shuō zhè hái zi ài dòngnǎo jīn hǎo wǒ jiù shōu
老爷爷笑了，说："这孩子爱动脑筋。好，我就收
nǐ zuò tú dì ba yuán lái lǎo yé ye shì dāng dì yǒumíng de cài yī shēng
你做徒弟吧！"原来，老爷爷是当地有名的蔡医生。

阅 读 练 习

36

dú jù zi duìzhàoshàngwén jiā biāodiǎn
1. 读句子，对照上文加标点。

huà tuó měitiānbāngzhù mǔ qīn dǎ chái fàngniú yǎngcán
(1) 华佗每天帮助母亲打柴 放牛 养蚕

shéinéngzhāixià shùdǐngshang de yè zi
(2) 谁能摘下树顶上的叶子

shù nà megāo shùdǐngshang de zhī tiáo nà me xì gēnběnshàng bú qù ya
(3) 树那么高 树顶上的枝条那么细 根本上不去呀

hǎo wǒ jiù shōu nǐ zuò tú dì ba
(4) 好 我就收你做徒弟吧

cóngwénzhōngzhǎochū jǐ ge dài de zì mófǎng yí xià tā men de dòngzuò
2. 从文中找出几个带"扌"的字，模仿一下它们的动作。

wǒ lái wèn nǐ lái dá
3. 我来问，你来答。

huà tuó shìshénme shíhou de rén tā cóngshìshénme zhí yè
(1) 华佗是什么时候的人？他从事什么职业？

huà tuó shì zěn yàng jiě jué lǎo yé ye tí chū de wèn tí de
(2) 华佗是怎样解决老爷爷提出的问题的？

_____

wèi shén me lǎo yé ye zhǐ shōu huà tuó zuò tú dì ér bù shōu qí tā de hái zi
(3) 为什么老爷爷只收华佗做徒弟，而不收其他的孩子？

_____

qǐng nǐ yòng zì jǐ de huà shuō shuo huà tuó zhāi dào shù dǐng shang de sāng yè de guò chéng
4. 请你用自己的话说 说华佗摘到树顶 上的桑叶的过程。

_____

训练 19

shéi huà chū le mǐ lǎo shǔ
谁画出了米老鼠

xiǎo péng you nǐ zhī dào mǐ lǎo shǔ shì shéi huà de ma
小朋友，你知道米老鼠是谁画的吗？
gào sù nǐ ba tā jiù shì měi guó de wò ěr tè dí sī ní dí sī ní
告诉你吧，他就是美国的沃尔特·迪斯尼。迪斯尼
xiǎo shí hou hěn xǐ huan huà huà wèi le xué huà huà tā jiè yòng bà ba de qì chē jiān
小时候很喜欢画画。为了学画画，他借用爸爸的汽车间，
zuò wéi lín shí de huà shì yì tiān tā kàn jiàn yì zhī xiǎo lǎo shǔ zài dì shang tiào
作为临时的画室。一天，他看见一只小老鼠在地上跳
yuè jué de hěn kě ài jiù ná xiē
跃，觉得很可爱，就拿些
miàn bāo xiè wèi tā shí jiān yì cháng
面包屑喂它。时间一长，
bǐ cǐ chéng le hǎo péng you yǒu shí
彼此成了好朋友。有时
hou nà zhī lǎo shǔ jìng dà dǎn de pá
候，那只老鼠竟大胆地爬
dào tā gōng zuò de huà bǎn shang bìng qiě
到他工作的画板上，并且

yǒu jié zòu de tiào zhe　　dí sī ní jiù zài yì pángdèng dà yǎn jing zǐ xì de guānchá
有节奏地跳着。迪斯尼就在一旁瞪大眼睛仔细地观察。

hòu lái　　dí sī ní jiù kāi shǐ huà lǎo shǔ le
后来，迪斯尼就开始画老鼠了。

mǐ lǎo shǔ jiù shì zhèyànghuàchéng de　　mǐ lǎo shǔ yuè huà yuè hǎo　　shòudào hěn
米老鼠就是这样画成的。米老鼠越画越好，受到很

duō xiǎopéngyou de huānyíng　　hěnkuài jiù chéng le kǎ tōngmíngxīng
多小朋友的欢迎，很快就成了卡通明星。

阅 读 练 习

fǎngzhàoyàng zi tiánkòng
1. 仿 照 样 子 填 空。

wèi lǎoshǔ　　　　　jiàn zi　　　　　jī mù
喂 老鼠　　____ 毽子　　____ 积木

guǎng bō　　　　　pí jīn　　　　　lǎ ba
____ 广播　　____ 皮筋　　____ 喇叭

shíjiān yì cháng bǐ cǐ chéng le hǎopéngyou zhè jù huàzhōng bǐ cǐ zhǐ de shì
2. "时间 一 长，彼此 成 了 好 朋 友。"这句 话 中"彼此"指 的 是（　　）。

miànbāo hé lǎo shǔ
A. 面 包 和 老鼠

lǎo shǔ hé dí sī ní
B. 老鼠 和 迪斯尼

miànbāo　　lǎo shǔ hé dí sī ní
C. 面 包、老鼠 和 迪斯尼

miànbāo hé dí sī ní
D. 面 包 和 迪斯尼

wénzhōngzuìhòu yí jù huà　　kǎ tōngmíngxīng zhǐ de shì
3. 文 中 最 后 一 句 话 "卡 通 明 星"指 的 是（　　）。

mǐ lǎo shǔ　　　　dí sī ní　　　　xiǎopéngyou
A. 米老鼠　　B. 迪斯尼　　C. 小 朋 友

nǐ xǐ huan mǐ lǎo shǔ ma　　wèishénme
4. 你喜欢米老鼠吗? 为什么?

_____

_____

sì ge xiǎo huǒ bàn
四个小伙伴

shàng wǔ xiū xi de shí hou　　xiǎo péng you men dōu zài chī diǎn xīn　　zhǐ yǒu wéi jiā
上午休息的时候，小朋友们都在吃点心，只有维佳
zhàn zài yì páng
站在一旁。

gǔ lǐ yà wèn tā　　　nǐ zěn me bù chī ne
古里亚问他：“你怎么不吃呢？”

wǒ bǎ diǎn xīn diū le
“我把点心丢了。”

zhēn zāo gāo　　　gǔ lǐ yà yì biān chī miàn bāo yì biān shuō　　dào chī wǔ fàn
“真糟糕！”古里亚一边吃面包一边说，“到吃午饭
hái yǒu hǎo cháng shí jiān ne
还有好长时间呢！”

mǐ shā wèn　　nǐ bǎ diǎn xīn diū zài　nǎr　le
米沙问：“你把点心丢在哪儿了？”

wǒ yě bù zhī dào　　wéi jiā xiǎo shēng de shuō
“我也不知道。”维佳小声地说。

mǐ shā shuō　　nǐ dà gài fàng zài kǒu dài li　　bù xiǎo xīn diū de　wǎng hòu děi
米沙说：“你大概放在口袋里，不小心丢的。往后得
fàng zài shū bāo li
放在书包里。”

wò luó jiā shén me yě méi yǒu wèn　　tā zǒu dào wéi jiā gēn qián　bǎ yí kuài mǒ
沃罗佳什么也没有问，他走到维佳跟前，把一块抹
zhe nǎi yóu de miàn bāo bāi chéng liǎng bàn　yí bàn sāi dào wéi jiā shǒu li　shuō　nǐ
着奶油的面包掰成两半，一半塞到维佳手里，说：“你
ná zhe chī ba
拿着吃吧。”

阅读
小学一年级

39

阅 读 练 习

zhǎo chū wén zhāng zhōng bú rèn shi de zì xiě zài xià miàn　chá zì diǎn lǐ jiě　zài bǎ wén zhāng
1. 找出文章中不认识的字写在下面，查字典理解，再把文章
dà shēng de dú jǐ biàn
大声地读几遍。

bǎ sān ge xiǎohuǒbàn de míng zi yǔ tā menshuō de huà   yǐ jí zhè jù huà de yì si yòngxiāng
2. 把三个小伙伴的名字与他们 说的话，以及这句话的意思用 相

tóng de fú hàobiāochū lái
同的符号标出来。

　　　gǔ lǐ yà　　　　mǐ shā　　　　wò luó jiā
　　△古里亚　□米沙　○沃罗佳

nǐ ná zhe chī ba
(1) "你拿着吃吧。"

dào chī wǔ fàn hái yǒuhǎochángshí jiān ne
(2) "到吃午饭还有好 长 时间呢!"

wǎnghòu děifàngzài shūbāo li
(3) "往 后得放在书包里。"

bǎ zì jǐ de miànbāogěi wéi jiā
(4) 把自己的面 包给维佳。

nǐ yào è dù zi le
(5) 你要饿肚子了。

yàoxiǎoxīn　　bié diū le diǎnxīn
(6) 要小心，别丢了点心。

gǔ lǐ yà　　mǐ shā　　wò luó jiā sānwèixiǎohuǒbànzhōng　nǐ xǐ huanshéi　　wèishénme
3. 古里亚、米沙、沃罗佳三位小伙伴 中，你喜欢谁？为什么？

训练21

sān kē yīng táo shù
三棵樱桃树

liè níngxiǎo shí hou　　　jiā li yǒu yí ge guǒ shùyuán　zhòngzhepíngguǒ　　yīng táo
　　　列宁小时候，家里有一个果树园，种着苹果、樱桃

hé qí tā guǒ shù
和其它果树。

liè níng hé tā de gē ge　　jiě jie jīngchángzài guǒyuán li láo dòng　yǒu yì nián
　　　列宁和他的哥哥、姐姐经常在果园里劳动。有一年

xià tiān　　mǔ qīn zhǐ zheliángtíngpángsān kē yīng táo shùshuō　　hái zi men　kě yǐ
夏天，母亲指着凉亭旁三棵樱桃树说："孩子们，可以

阅读
小学一年级

40

到园子的另一头去吃水果，这几棵树上的果子，在7月
20日以前，别去动它。"

过了一些日子，列宁父亲的一个朋友来做客，他看到
长在凉亭旁边的三棵樱桃树，上面挂满了沉甸甸的果
子，惊奇地问站在身旁的列宁："你们不爱吃樱桃果子吗？"

列宁微笑着说："我们很喜欢吃，但要到7月20日，
父亲过生日的时候再吃。"

这位朋友听了，竖起大拇指，嘴里发出啧啧的赞叹声。

阅读练习

1. 读拼音，写词语。

jīng qí　　　zàn tàn　　　chén diān diān

（　　　　）　（　　　　）　（　　　　　　　）

2. 妈妈为什么指着那三棵樱桃树，要孩子们在7月20日以前别去
动它？

_____

_____

3. 父亲的朋友"竖起大拇指，嘴里发出啧啧的赞叹声"，他要赞叹
谁？他会怎么说？把他要说的话写出来。

_____

4. 你知道爸爸妈妈的生日吗？不知道的话，快去问问吧！

quānr quānr quānr
圈儿圈儿圈儿

dà chéng ài kàn shū　　kě shì bú ài xiě zì　　lǎo shī jiāo tā xiě zì　　tā xīn
大成爱看书，可是不爱写字。老师教他写字，他心
li shuō　　　wǒ zhǐ yào néng kàn shū jiù xíng le
里说："我只要能看书就行了。"

yì tiān　　shàng yǔ wén kè　　lǎo shī yào dà jiā tīng xiě　　dà chéng yì tīng zháo
一天，上语文课，老师要大家听写。大成一听着
huāng le　　tā ná zhe qiān bǐ　　shǒu yǒu diǎn fā dǒu　　zhǐ tīng lǎo shī niàn dào
慌了，他拿着铅笔，手有点发抖，只听老师念道：

zhuó mù niǎo　　zuǐr yìng　　dǔ dǔ dǔ　　zhuō xiǎo chóng　　dà jiā jiào tā shù
"啄木鸟，嘴儿硬，笃笃笃，捉小虫，大家叫它树
yī shēng
医生。"

dà chéng yǒu hǎo jǐ ge zì xiě bu chū lái　　zhǐ hǎo zài zhǐ shang xiě zhe
大成有好几个字写不出来，只好在纸上写着：
mù niǎo　　er　　　　　xiǎo chóng dà jiā jiào tā shù　　shēng
"○木鸟，○儿○，○○○，○小虫，大家叫它树○生。"
dà chéng xiě wán　　jiù jiāo gěi lǎo shī
大成写完，就交给老师。

dì èr tiān　　lǎo shī ràng tā bǎ zì jǐ xiě de niàn yí niàn　　tā niàn dào
第二天，老师让他把自己写的念一念。他念道：

quānr mù niǎo　　quānr quānr　　quānr quānr quānr　　quānr xiǎo chóng
"圈儿木鸟，圈儿圈儿，圈儿圈儿圈儿，圈儿小虫，
dà jiā jiào tā shù quānr shēng
大家叫它树圈儿生。"

niàn zhe　niàn zhe　tóng xué men huā de yì shēng xiào le　　dà chéng hěn nán wéi qíng
念着，念着，同学们哗地一声笑了。大成很难为情。
lǎo shī shuō　　dà chéng nǐ zì jǐ xiě de dōng xi　　zì jǐ dōu kàn bu dǒng
老师说："大成，你自己写的东西，自己都看不懂，
bié ren zěn me kàn de dǒng ne
别人怎么看得懂呢？"

dà chéngxiǎng   lǎo shī shuō de duì ya   wǒ yīng gāi hǎo hāo xué xí xiě zì
大 成 想:"老师说得对呀!我应该好好学习写字。
yào shì bié ren ba zì yě huàchéngquānquān   wǒ dào nǎ li qù zhǎoshū kàn ne
要是别人把字也画成 圈圈,我到哪里去找书看呢?"

阅 读 练 习

dú zhǔn xià mian de qīngshēng
1. 读准下面的轻 声。

quānr	xíng le	xiě zhe	zhǐshang
圈儿	行了	写着	纸上

tóngxuémen	zěnme	yǒu shí hou
同学们	怎么	有时候

tīng xiě shí   dà chéngyòng   lái dài tì bú huì xiě de zì   zào chéng zhè zhǒngqíng
2. 听写时,大 成 用＿＿＿＿来代替不会写的字。造成 这 种 情
kuàng de yuán yīn shì
况 的 原因是＿＿＿＿＿＿＿＿＿＿＿＿＿。

dà chénghěnnánwéiqíng   nánwéiqíng   zài zhè li de yì si shìshénme
3. "大 成 很难为情","难为情"在这里的意思是什么?(   )
nán yǐ xiàochū lái
    A. 难以笑出来。
bù hǎo yì si   yǒudiǎn xiū kuì
    B. 不好意思,有点羞愧。
shuō bu chū yí jù huà
    C. 说不出一句话。
xīn li hěn fù zá   liǎnshangnán yǐ biǎo dá chū lái
    D. 心里很复杂,脸上难以表达出来。

tōngguòzhè cì tīngxiě   dà chéngmíngbai le shénmedào lǐ   yòng   zài wénzhōnghuà
4. 通过这次听写,大 成 明白了什么道理?用"＿＿"在文中画
chūxiāngyìng de yí jù huà
出 相应的一句话。

bǎ lǎo shī dú de ér gē chāoxiě xià lái
5. 把老师读的儿歌抄写下来。

＿＿＿＿＿＿＿＿＿＿＿＿＿＿＿＿＿

＿＿＿＿＿＿＿＿＿＿＿＿＿＿＿＿＿

小巴掌童话

童话阅读入门

　　小朋友们都喜欢读童话。你能说出童话到底有哪些魅力吸引你呢？

　　"童话里一切的东西，大象、狗熊、兔子、狐狸，嗯，还有花儿、树木、白云等等，都像人一样会说话、做事。"对，回答得很好！这就是童话的一个重要特征，或者说它有别于其他文学样式的地方，叫做比拟。它包括拟人和拟物，就是通常说的"人格化"手法。世间万事万物，只要赋以喜怒哀乐之情，原本是"死"的东西，立刻就"活"了起来。而且，既然它们由"物"变成了"人"，也就有了好人、坏人、大人、小人之分，形成了许多性格不一的人物形象。这些"人物"在一起，发生了许许多多有趣的故事，丰富了你大脑中的童话宝库。

　　童话还有什么特点？对了，幻想和夸张。幻想是童话之本，没有幻想就没有童话。"幻想"是相对"现实"而言的。现实中的老虎不会说话，幻想中的老虎却会说话，这就是幻想的结果。因此，我们在阅读童话时要充分发挥想象力。童话也离不开夸张。夸张就是有意地夸大或缩小一种事物的形象、特征、作用等等。比如《西游记》中那个毛

从前有一座大山，山上有棵向日葵姑娘

我是可爱的向日葵

猴孙悟空，一个跟斗就能跳到十万八千里外的地方，这就是夸张；他的"火眼金睛"能够看到人们用大规格望远镜也难以看到的地方，也是因于夸张的魔力。这意味着我们看童话也要有夸张的眼光。

特别要说明的是，虽然童话里的人物是虚构的，环境是假设的，情节、故事也不是生活中实有的，但是绝不是胡思乱想，随意编造，人格化更不是离开社会人群而独立存在。

童话里的人物、情节，都是以社会现实为基础，是现实生活的再现。所以我们阅读童话，一定要与社会上各种各样的人和各种各样的事相联系，在丰富有趣的故事情节中多一些哲理思索，多一番回味。记住了吗？

愿童话伴随你的成长！

训练23

青蛙与小草
qīng wā yǔ xiǎo cǎo

yì zhī dà é bù xiǎo xīn cǎi le qīng wā yì jiǎo，qīng wā gǎn dào shòu le hěn
一只大鹅不小心踩了青蛙一脚，青蛙感到受了很
dà de wū rǔ，tā yǎng miàn tǎng zài lǜ tǎn shì de cǎo dì shang，qì de gǔ qǐ le
大的污辱，他仰面躺在绿毯似的草地上，气得鼓起了
dù zi
肚子。

xiǎo cǎo duì qīng wā shuō：nǐ zhǐ bu guò bèi é bù xiǎo xīn cǎi le yí xià
小草对青蛙说："你只不过被鹅不小心踩了一下，
zhí de zhè me ge yàngr ma？gāi yuán liàng bié ren de dì fang jiù yīng dāng yuán liàng bié
值得这么个样儿吗？该原谅别人的地方就应当原谅别
ren
人。"

ràng wǒ yuán liàng é？bàn bu dào！ qīng wā yǎn dèng de liū yuán，shuō，
"让我原谅鹅？办不到！"青蛙眼瞪得溜圆，说，
wǒ yí dìng xiǎng ge miào fǎr ér bào fù yí xià é，jiào tā zhī dào wǒ qīng wā shì bù
"我一定想个妙法儿儿报复一下鹅，叫他知道我青蛙是不
hǎo rě de
好惹的！"

xiǎo cǎo yáo yáo tóu shuō nǐ zhè jiù bú duì le hái shì bié bǎ zhè shìr

小草摇摇头，说：“你这就不对了，还是别把这事儿

wǎng xīn li fàng ba

往心里放吧。”

nǐ shuō de dào qīng qiǎo qīng wā gèng shēng qì le yào shì nǐ yù

“你说得倒轻巧，”青蛙更生气了，“要是你遇

dào lèi sì wǒ zhè yàng de shìr pà jiù bú huì shì nǐ xiàn zài zhè ge yàng zi

到类似我这样的事儿，怕就不会是你现在这个样子

le ba

了吧？”

xiǎo cǎo xiào le nǐ xiàn zài bú shì bǎ wǒ men yā dǎo yí piàn ma nán dào wǒ

小草笑了：“你现在不是把我们压倒一片吗？难道我

men méi yǒu yuánliàng nǐ ma

们没有原谅你吗？”

qīng wā shuō bu shànghuà lái

“……”青蛙说不上话来。

阅读练习

jiè zhù cí diǎn lǐ jiě cí yǔ de yì si

1. 借助词典，理解词语的意思。

wū rǔ

污辱：_____

bào fù

报复：_____

qīng wā wèi shénme shì ér shēng qì

2. 青蛙为什么事而生气？

_____

qīng wā zuì hòu wèi shénme shuō bu shànghuà le

3. 青蛙最后为什么说不上话了？

_____

nán dào wǒ men méi yǒu yuánliàng nǐ ma yì si shì

4. “难道我们没有原谅你吗？”意思是（　　　）

wǒ men yuánliàng le nǐ

A. 我们原谅了你。

wǒmenméiyǒuyuánliàng nǐ
B. 我们没有原谅你。

dú le zhèpiānduǎnwén　　nǐ yǒushénmexiǎng fǎ
5. 读了这篇短文，你有什么想法？

_____

训练24

cōngmínghóu gē de fán nǎo
聪明猴哥的烦恼

sēn lín li　　dà jiā gōng rèn xiǎo hóu gē zuì cōngmíng　　xiǎodòng wù men yù dàoshén
森林里，大家公认小猴哥最聪明。小动物们遇到什
me nán tí　　dōu lái zhǎoxiǎohóu gē jiě jué　　bǐ rú　　xiǎo yě zhū yào xué gài fáng zi
么难题，都来找小猴哥解决。比如，小野猪要学盖房子
la　　huáng lí yào xué wǔ xiàn pǔ la　　xióngmāoxiǎngxué huà huà la　　　　xiǎo hóu gē
啦，黄鹂要学五线谱啦，熊猫想学画画啦……小猴哥
zǒng shì yí xiàoshuō　　jiǎn dān　　jiǎn dān　　jiù bǎ fáng zi zěn me gài　　wǔ xiàn
总是一笑说："简单，简单！"就把房子怎么盖、五线
pǔ zěn me shí děngděng　　dōugào su le xiǎodòng wù men
谱怎么识等等，都告诉了小动物们。

xiǎo yě zhū xué zhe gài qǐ fáng zi lái
小野猪学着盖起房子来；
huáng lí měi tiān qǐ de zǎo zǎo de liàn gē
黄鹂每天起得早早的练歌
hóu
喉；
xióngmāozhuān xīn de dào yě wài qù huà
熊猫专心地到野外去画
huà
画……
zhǐ yǒuxiǎohóu gē zhěngtiān dāi zài jiā li
只有小猴哥整天呆在家里，
hē kā fēi　　tīng yīn yuè　　tǎng zài chuángshang
喝咖啡，听音乐，躺在床上

真舒服！

bì mù yǎng shén
闭目养神。

zhè tiān xiǎo hóu gē ná qǐ gāng gāng sòng lái de wǎn bào jīng qí de fā xiàn
这天，小猴哥拿起刚刚送来的晚报，惊奇地发现：

xiǎo yě zhū yǐ chéng le jiàn zhù shī huáng lí chéng le hóng gē xīng xióng māo chéng le
小野猪已成了建筑师，黄鹂成了红歌星，熊猫成了

huà jiā jiù lián píng shí bèn shǒu bèn jiǎo de gǒu xióng yě kāi qǐ zhěn suǒ dāng
画家……就连平时笨手笨脚的狗熊，也开起诊所，当

shàng le yī shēng
上了医生。

xiàn zài tā men dōu chéng le míng rén wǒ ne wǒ zhè me cōng míng què shén me
"现在他们都成了名人，我呢，我这么聪明却什么

yě méi gàn chéng zhè dào dǐ shì wèi shén me ne
也没干成，这到底是为什么呢？"

cōng míng de xiǎo hóu gē zěn me yě xiǎng bù míng bai
聪明的小猴哥怎么也想不明白。

阅读

阅 读 练 习

dú pīn yīn xiě cí yǔ
1. 读拼音，写词语。

fáng zi　　　　dòng wù　　　　gào su
（　　　）　　（　　　）　　（　　　）

bì mù yǎng shén　　　　　　bèn shǒu bèn jiǎo
（　　　　　）　　　（　　　　　）

xiǎo hóu gē dú bào zhǐ shí fā xiàn le xǔ duō míng rén tā men dōu zuò shén me gōng zuò
2. 小猴哥读报纸时，发现了许多"名人"，他们都做什么工作？

gēn jù wén zhāng nèi róng lián xiàn
根据文章内容连线。

gǒu xióng　　　　　　　　huà jiā
狗熊　　　　　　　　　　画家

huáng lí　　　　　　　　jiàn zhù shī
黄鹂　　　　　　　　　　建筑师

xióng māo　　　　　　　　yī shēng
熊猫　　　　　　　　　　医生

xiǎo yě zhū　　　　　　　gē xīng
小野猪　　　　　　　　　歌星

sēn lín li   shéi zuì cōng míng   wèi shén me
3. 森 林 里，谁 最 聪 明？为 什 么？

_____

hóu gē hěn cōng míng què shén me yě méi gàn chéng   zhè shì shén me yuán yīn   zài nǐ rèn wéi zhèng
4. 猴 哥 很 聪 明 却 什 么 也 没 干 成，这 是 什 么 原 因？在 你 认 为 正
què de shuō fǎ hòu dǎ
确 的 说 法 后 打 "√"。

méi yǒu dòng shǒu qù zuò yí jiàn shì
A. 没 有 动 手 去 做 一 件 事。   (   )

bǎ zhī shi dōu gào su le bié ren
B. 把 知 识 都 告 诉 了 别 人。   (   )

zhǐ bāng zhù bié ren jiě jué nán tí   zì jǐ méi yǒu shí jiān
C. 只 帮 助 别 人 解 决 难 题，自 己 没 有 时 间。 (   )

xiǎo dòng wù men bú ràng tā gàn
D. 小 动 物 们 不 让 他 干。   (   )

nǐ yǒu shén me hǎo bàn fǎ shǐ cōng míng hóu gē bú zài fán nǎo   kuài shuō gěi hóu gē tīng   tā huì gǎn
5. 你 有 什 么 好 办 法 使 聪 明 猴 哥 不 再 烦 恼？快 说 给 猴 哥 听，他 会 感
xiè nǐ de
谢 你 的。

_____

_____

训练25

diàn huà li chuán lái de nuǎn qì
电 话 里 传 来 的 暖 气

jīn nián dōng tiān lái de gé wài zǎo
今 年 冬 天 来 得 格 外 早。
dà xuě zǎo yǐ gài mǎn le yuán yě   fēng zhù le měi yì tiáo xiǎo dào
大 雪 早 已 盖 满 了 原 野，封 住 了 每 一 条 小 道。
háo zhū xiān sheng yǐ jing sān tiān méi jiàn dào xiǎo bái tù le
豪 猪 先 生 已 经 三 天 没 见 到 小 白 兔 了。

他非常想念自己的好朋友，他知道小白兔是非常怕冷的。也许，此刻他正躲在房子的角落里，嗦嗦直抖呢。

豪猪先生自言自语地说："我应该给小兔送去一点暖气。"

小白兔家的电话铃响了。

他拿起电话，电话里传来豪猪先生的温和语气，他正在读一篇文章：

"那一年，我来到热带森林里，头上是火辣辣的太阳，人们大汗淋漓，四周到处是绿树红花……"

小白兔再也不冷得发抖了。

紧贴耳朵的电话筒，给他送来一阵阵暖气。

阅读练习

1. 给下面的字选择正确读音。

暖 (luǎn nuǎn)　　　铃 (líng níng)

森 (sēn shēn)　　　封 (fén fēng)

2. 照样子，写出汉字的部首和笔画数。

次 (冫) (6)　　　猪 ( ) ( )

^{ná}
拿（　　）（　　）　　^{zhōu}
周（　　）（　　）

^{wénzhōngyòngshénme cí xíngróngxiǎobái tù fēi cháng pà lěng　cóngwénzhōngzài zhǎo yì zhǎo yǔ}
3. 文 中 用 什么 词 形容 小白 兔 非 常 怕 冷？从 文 中 再找 一找 与

^{zhè ge cí yì si xiāngfǎn de cí}
这个 词意思 相 反 的 词。

_____　　^{xiāngfǎn de cí}
　　　　　　　　　　相 反 的 词：_____

^{diànhuà li zhēn de néngsòng lái　nuǎn qì　ma　sòng lái de shìshénme}
4. 电话 里 真 的 能 送 来 "暖 气" 吗？送 来 的 是什么？

_____

_____

训练26

^{cōngmíng de gōng jī}
聪明的公鸡

^{yǒu yì tiān　gōng jī chū lái zài cǎo dì shangsàn bù　yì zhī hú li kàn jiàn le}
有一天，公鸡出来在草地上散步，一只狐狸看见了，

^{qiāoqiāo de gēn zài tā hòumian　hú li biānzǒubiānxiǎng　zhè zhī gōng jī duō féi ya}
悄悄地跟在它后面。狐狸边走边想：这只公鸡多肥呀！

^{wǒ děi xiǎng ge bàn fǎ bǎ gōng jī chī diào}
我得想个办法把公鸡吃掉。

^{gōng jī tīng dào hòumianyǒu jiǎo bù shēng　huí tóu yí kàn　yì zhī hú li gēn zhe}
公鸡听到后面有脚步声，回头一看，一只狐狸跟着

^{tā　gōng jī xīn li míng bái le　zhè shí hú li jiǎ xīngxing de shuō　gōng jī dà}
它，公鸡心里明白了。这时狐狸假惺惺地说："公鸡大

^{gē　nín zǎo ya　nín zhè shì yào dào nǎ li qù ya　gōng jī shuō　hú li}
哥，您早呀！您这是要到哪里去呀？"公鸡说："狐狸，

^{wǒ chū lái sàn bù　shùnbiànzhǎodiǎnxiǎochóng chī}
我出来散步，顺便找点小虫吃。"

^{hú li yì tīng　mǎ shàng duì gōng jī shuō　gōng jī dà gē　jiù nín yí ge}
狐狸一听，马上对公鸡说："公鸡大哥，就您一个

^{rén ma　wǒ péi nín qù ba}
人吗？我陪您去吧！"

gōng jī líng jī yí dòng shuō zěn me shì yí ge rén liè rén zài wǒ hòu
公鸡灵机一动，说："怎么是一个人，猎人在我后
mian ne hú li tīng le zhuǎnshēn jiù pǎo
面呢！"狐狸听了，转身就跑。

阅 读 练习

bǐ yì bǐ zài kuò cí
1. 比一比，再扩词。

shēng
声 （ ） （ ） （ ）

shēng
生 （ ） （ ） （ ）

quānchū bú shìtóng yí lèi de cí
2. 圈出不是同一类的词。

gōng jī hú li xiǎogǒu liè rén
公鸡 狐狸 小狗 猎人

pànduànduì cuò duì de zài lǐ dǎ cuò de dǎ
3. 判断对错，对的在（ ）里打"√"，错的打"×"。

gōng jī shēnhòugēnzhe liè rén
(1) 公鸡身后跟着猎人。 （ ）

hú li xiǎngpéigōng jī sànsàn bù
(2) 狐狸想陪公鸡散散步。 （ ）

gōng jī hěn féi
(3) 公鸡很肥。 （ ）

wénzhōng de gōng jī shì ge piàn zi
(4) 文中的公鸡是个骗子。 （ ）

hú li xiāngxìn le gōng jī de huàbèi xià pǎo le
(5) 狐狸相信了公鸡的话被吓跑了。 （ ）

jù shì liàn xí
4. 句式练习。

shéi 谁	zài nǎr 在哪儿	gànshénme 干什么
gōng jī 公鸡	zài cǎo dì shang 在草地上	sàn bù 散步
	zài cāochǎngshang 在操场上	

长眼睛的小树

活泼的梅花鹿在小树林里跑着，几张藤叶儿挂在了它的角上，它也不知道。

小树林边上，是个小池塘，小鹿探头一瞧，池塘里映出了一棵小树，小树杈上飘着绿叶。

再一瞧，小树杈下面，还有一对明亮的眼睛在一眨一眨呢！

小鹿高兴地笑了："那不是我吗？我变成一棵小树了，还长着树叶呢……"

就在这时，有三只漂亮的小鸟儿，落在这一对树杈上了，它们跳上跳下，还唱着好听的歌儿呢。

小鹿是爱动来动去的，可它现在屏住气，一动也不动，因为它知道，小鸟儿是非常胆小的。

小鹿从平静的水面上看到，三只小鸟真愉快，它

men yǒu chàng bu wán de gē xiǎo lù zài xīn li qiāoqiāo de shuō chàng ba chàng
们有唱不完的歌。小鹿在心里悄悄地说："唱吧，唱

ba wǒ shì yì kē kuài lè de xiǎoshù huānyíngxiǎo niǎor lái chàng gē
吧，我是一棵快乐的小树，欢迎小鸟儿来唱歌……"

阅读练习

nà bú shì wǒ ma   zhè jù huà de yì si shì
1. "那不是我吗？"这句话的意思是（   ）

nà jiù shì wǒ   nà bú shì wǒ   wǒ shìxiǎoshù
A. 那就是我   B. 那不是我   C. 我是小树

zhǎngyǎnjing de xiǎoshù shì
2. 长眼睛的小树是（   ）

báiyángshù   xiǎopéngyou   xiǎo lù   xiǎoniǎo
A. 白杨树   B. 小朋友   C. 小鹿   D. 小鸟

méihuā lù bù jǐn wàibiǎohuó po kě ài   háiyǒu yì kē měi lì de xīn líng   nǐ cóng gù shizhōng
3. 梅花鹿不仅外表活泼可爱，还有一颗美丽的心灵，你从故事中
zhǎodào le ma   qǐngxiě xià lái
找到了吗？请写下来。

_____

_____

qǐng nǐ yòngshǒuzhōng de cǎi bǐ bǎ   zhǎngyǎnjing de xiǎoshù   huàchū lái
4. 请你用手中的彩笔把"长眼睛的小树"画出来。

hào dòu de xiǎopáng xiè
好斗的小螃蟹

lán sè de hǎi wān li　　yǒu yì zhī xiǎopáng xiè　　　tā zhàngzhe yǒu yì shuāng jiā
蓝色的海湾里，有一只小螃蟹，它仗着有一双夹

zi　　zǒnghào qī fu bié ren
子，总好欺负别人。

xiǎo yú bèi tā jiā de zhí hǎn mā ma　　xiǎo wū guī bèi tā jiā de bù gǎn bǎ tóu
小鱼被它夹得直喊妈妈。小乌龟被他夹得不敢把头

shēnchū lái　　xiǎo xiā yí jiàn tā jiù pǎo de lǎo yuǎn lǎo yuǎn
伸出来。小虾一见它就跑得老远老远。

xiǎopáng xiè jiàn dà jiā dōu pà tā　　fēi cháng dé yì　　yáng qǐ tóu lái tǔ pào
小螃蟹见大家都怕它，非常得意，扬起头来吐泡

pào　　tū rán　　tā fā xiàn le yì gēn xiǎo tiě bàng　　xīn xiǎng　　shéi gǎn rě wǒ
泡。突然，它发现了一根小铁棒，心想："谁敢惹我？

kàn wǒ zěn me jiā zhù nǐ
看我怎么夹住你！"

hā hā　　yí ge xiǎonán hái jiào dào　　wǒ diàodào le yì zhī xiǎopáng xiè
"哈哈！"一个小男孩叫道，"我钓到了一只小螃蟹。"

阅读
小学一年级

55

阅 读 练 习

gěiduōyīn zì zǔ cí
1. 给多音字组词。

好 {hào（　　）
    {hǎo（　　）

看 {kān（　　）
    {kàn（　　）

bèixiǎopáng xiè qī fu de dòngwù yǒu
2. 被小螃蟹欺负的动物有_____、_____、_____。

xiǎopáng xiè zuìhòubèi　　shéi　　　　zěnmeyàng
3. 小螃蟹最后被____（谁）_____（怎么样）。

yòng　　dé yì　　shuōhuà　　xiěhuà
4. 用"得意"说话、写话。

dé yì
得意——_____

阅读
小学一年级

hé tángwǎn huì
荷塘晚会

hé táng li zhèng jǔ xíngwén yì wǎn huì　　róu hé de yuèguāngqīng xiè zài shuǐmiàn
荷塘里正举行文艺晚会。柔和的月光轻泻在水面
shang hé xiāngzhènzhèn　qīngfēng xú xú　wǎn huì kāi shǐ shí　zhǐ jiàn chuānzhe lǜ
上，荷香阵阵，清风徐徐。晚会开始时，只见穿着绿
sè xī fú de nán gāo yīn　qīng wā　míng qǐ le qì náng　guā guā de chàngzhehuān
色西服的男高音——青蛙，鸣起了气囊，呱呱地唱着欢
kuài de gē　jiāo xiǎo de yínghuǒchóngmen zài kōngzhōngtiào qǐ yōu měi de jí tǐ wǔ　xiù
快的歌；娇小的萤火虫们在空中跳起优美的集体舞；秀
měi de hóngqīngtíng dī fēi zuò huáxiángbiǎoyǎn　kě ài de yín yúr　bō dòngzheshuǐzǎo
美的红蜻蜓低飞做滑翔表演；可爱的银鱼儿拨动着水藻，
tán qǐ le dòngtīng de yuè qǔ　hé tángwǎn huì zhēn shì fēng fù duō cǎi　qíng qù àng rán
弹起了动听的乐曲……荷塘晚会真是丰富多彩，情趣盎然。

阅读练习

tiánshàng shì dàng de cí
1. 填上适当的词。

zhènzhèn　　　　　　xú xú　　　　　　　　de yuèguāng
（　　）阵阵　　（　　）徐徐　　　　（　　）的月光
de yuè qǔ　　　　　de yínghuǒchóng　　　de hóngqīngtíng
（　　）的乐曲　（　　）的萤火虫　（　　）的红蜻蜓

zhèduànhuàgòngyǒu　　　　jù
2. 这段话共有_____句。

hé tángwǎnhuìshang　　　　　　　　　　　dōu jìn xíng le jīng cǎi biǎoyǎn
3. 荷塘晚会上，_____、_____、_____、_____都进行了精彩表演。

hé tángwǎnhuì zhēn shì fēng fù duō cǎi　qǐng nǐ xiǎng yì xiǎng　hái huì yǒushéichū lái biǎoyǎn ne
4. 荷塘晚会真是丰富多彩，请你想一想，还会有谁出来表演呢？
fǎngzhàoyàng zi biān yì biān
仿照样子编一编。

jiāoxiǎo de yínghuǒchóngmen zài kōngzhōngtiào qǐ yōuměi de jí tǐ wǔ
娇小的萤火虫们在空中跳起优美的集体舞；
xiù měi de　　　　　dī fēi zuò
秀美的_____低飞做_____；

jiāo ào de jī qì rén
骄傲的机器人

yǒu yí ge jī qì rén　hěn nénggàn　　tā huì shāo fàn　sǎo dì　　yě huì jì suàn
有一个机器人，很能干。他会烧饭、扫地，也会计算。

yǒu yì tiān　　tā shuō　　　nǐ men shéi yě méi yǒu wǒ nénggàn　　lǐ míng jūn jì
有一天，他说："你们谁也没有我能干，李明军计

suàn méi yǒu wǒ kuài　　zhāng guāng huá ne　　bú huì sǎo dì　　hēng　méi yǒu rén néng bǐ
算没有我快；张光华呢，不会扫地。哼！没有人能比

de shàng wǒ
得上我！"

bà ba tīng jiàn le　　bǎ kāi guān guān shàng le　　jī qì rén bú huì dòng le
爸爸听见了，把开关关上了，机器人不会动了。

dà jiā dōu shuō　　nǐ xiàn zài hái jiāo ào ma
大家都说："你现在还骄傲吗？"

jī qì rén zhè cái míng bai　　rén bǐ tā hái cōngmíng ne
机器人这才明白，人比他还聪明呢！

阅读练习

bù shǒu biàn huàn xiǎo mó shù
1. 部首变换小魔术。

shéi　　　　　　　　　　　　　tuī
谁 － (讠) + (扌) → (推)

dì
地 － (　　) + (　　) → (　　)

bào
抱 － (　　) + (　　) → (　　)

pá
爬 － (　　) + (　　) → (　　)

zài xiě jī qì rén jiāo ào de jù zi xià mian huà　　　　　xiàn
2. 在写机器人骄傲的句子下面画 "＿＿＿" 线。

rén bǐ tā hái cōngmíng ne　　zhè jù huà zhōng　　tā shì zhǐ　　　　　　shuō
3. "人比他还聪明呢！"这句话中，"他"是指＿＿＿＿＿。说

rén bǐ jī qì rén hái cōngmíng shì yīn wèi
人比机器人还聪明是因为＿＿＿＿＿＿＿＿＿＿＿。

nǐ huì gěi xiàmian de jù zi jiā biāodiǎn ma
4. 你会给下面的句子加标点吗？

rén bǐ tā hái cōngmíng
(1) 人比他还聪明

rén bǐ tā hái cōngmíng ne
(2) 人比他还聪明呢

rén bǐ tā hái cōngmíng ma
(3) 人比他还聪明吗

练兵场
训练 31

xiǎo guǒ shù qǐng kè
小果树请客

阅读
小学一年级

58

tián tián zài yuàn zi li zhòng le yì kē zhǒng zi   zhǒng zi zhǎngchéng le yì zhū
田田在院子里种了一颗种子，种子长成了一株
xiǎo guǒ shù   xiǎo guǒ shù qǐng xiǎo yǔ diǎn zuò kè   xiǎo yǔ diǎn hěn gāo xìng   ràng xiǎo guǒ
小果树。小果树请小雨点做客。小雨点很高兴，让小果
shù hē bǎo le shuǐ   xiǎo guǒ shù de lǜ yè yuè zhǎng yuè duō   tā qǐng xiǎo niǎo zuò kè
树喝饱了水。小果树的绿叶越长越多。它请小鸟做客，
xiǎo niǎo hěn gāo xìng   bāng xiǎo guǒ shù zhuō chóng zi
小鸟很高兴，帮小果树捉虫子。
xiǎo guǒ shù kāi huā le   tā qǐng xiǎo mì fēng zuò kè   xiǎo mì fēng hěn gāo xìng
小果树开花了，它请小蜜蜂做客。小蜜蜂很高兴，
bāng xiǎo guǒ shù chuán bō huā fěn
帮小果树传播花粉。
xiǎo guǒ shù jiē guǒ le   tā qǐng tián tián zuò kè   tián tián hěn gāo xìng   chī le
小果树结果了，它请田田做客。田田很高兴，吃了
xiāng tián de guǒ zi   yòu bǎ zhǒng zi zhòng dào ní tǔ li
香甜的果子，又把种子种到泥土里。

阅 读 练 习

dú jù zi yòng   huà chū jiā diǎn de duō yīn zì de zhèng què dú yīn
1. 读句子，用"____"画出加点的多音字的正确读音。

tián tián zài yuàn zi li   le yì kē   zi
(1)田田在院子里种(zhǒng zhòng)了一颗种(zhǒng zhòng)子。

xiǎo mì fēng hěn gāoxìng　　bāngxiǎoguǒshù　　　　　　　　　　bō huāfěn
(2) 小蜜蜂很高兴，帮 小果树传（chuán　zhuàn）播花粉。

xiǎoguǒshù　　　　　　guǒ le
(3) 小果树结（jiē　jié）果了。

xià mian de zì yīng gāi zěnyàng xiě
2. 下面的字应该怎样写？

yǔ　　　bǐ shùnshì　　　　　　　　　　　　　　　　　gòng　　　huà
雨　笔顺是 _____，共（　）画。

niǎo　　bǐ shùnshì　　　　　　　　　　　　　　　　　gòng　　　huà
鸟　笔顺是 _____，共（　）画。

chuán　　bǐ shùnshì　　　　　　　　　　　　　　　　gòng　　　huà
传　笔顺是 _____，共（　）画。

bǎ xiàmian de jù zi bǔ chōngwánzhěngshuōshuo tā men gè bāngzhùxiǎoguǒshùzuò le shénme
3. 把下面的句子补充完整，说说他们各帮助小果树做了什么？

xiǎo yǔ diǎnràngxiǎoguǒshù
(1) 小雨点让小果树（　　　　　　　　　　）。

bāngxiǎoguǒshù
(2)（　　）帮 小果树（　　　　　　　　　　）。

bāngxiǎoguǒshù
(3)（　　）帮 小果树（　　　　　　　　　　）。

tiántián bǎ xiǎoguǒshù de zhǒng zi
(4) 田田把小果树的 种子（　　　　　　　　）。

duǎnwénxiě de shìshéi de shénme shì
4. 短文写的是谁的什么事？

_____

练兵场　训练 32

xiǎo　wō　niú
小 蜗 牛

shì qing fā shēng zài chūntiān
事情发生在春天。

wō niú mā ma duì hái zi shuō　　dào xiǎoshù lín li qù wánwan　shù　yèr　fā
蜗牛妈妈对孩子说："到小树林里去玩玩，树叶儿发

yá le
芽了。"

xiǎo wō niú pá de hěn màn hěn màn　　hǎo jiǔ cái pá huí lái　　tā shuō　　mā
小蜗牛爬得很慢很慢，好久才爬回来。它说："妈
ma　　shù lín li de xiǎo shù zhǎng mǎn le yè zi　　bì lù bì lù de　　dì shang hái
妈，树林里的小树长满了叶子，碧绿碧绿的，地上还
zhǎng zhe xǔ duō cǎo méi ne
长着许多草莓呢！"

wō niú mā ma shuō　　ō　　yǐ jing shì xià tiān le　　kuài qù cǎi jǐ kē cǎo méi
蜗牛妈妈说："哦，已经是夏天了！快去采几颗草莓
huí lái
回来。"

xiǎo wō niú pá ya　　pá ya　　hǎo jiǔ cái pá huí lái　　tā shuō　　mā ma
小蜗牛爬呀，爬呀，好久才爬回来。它说："妈妈，
cǎo méi méi yǒu le　　dì shang zhǎng zhe mó gu　　shù yèr quán biàn huáng le
草莓没有了，地上长着蘑菇，树叶儿全变黄了。"

wō niú mā ma shuō　　ō　　yǐ jing shì qiū tiān le　　kuài qù cǎi jǐ zhī mó gu
蜗牛妈妈说："哦，已经是秋天了！快去采几只蘑菇
huí lái
回来！"

xiǎo wō niú pá ya　　pá ya　　hǎo jiǔ cái huí lái　　tā shuō　　mā ma　　mó
小蜗牛爬呀，爬呀，好久才回来。它说："妈妈，蘑
gu méi yǒu le　　dì shang gài zhe xuě　　shù yèr quán diào le
菇没有了，地上盖着雪，树叶儿全掉了。"

wō niú mā ma shuō　　ō　　yǐ jing shì dōng tiān le　　āi　　nǐ jiù duǒ zài jiā
蜗牛妈妈说："哦，已经是冬天了！唉，你就躲在家
li guò dōng ba
里过冬吧！"

阅读练习

chá zì diǎn huò cí diǎn　zhù yīn　jiě shì
1. 查字典或词典，注音，解释。

wō niú
蜗牛（　　）＿＿＿＿＿＿＿＿＿＿＿＿＿

cǎo méi
草莓（　　）＿＿＿＿＿＿＿＿＿＿＿＿＿

mó gu
蘑菇（　　）＿＿＿＿＿＿＿＿＿＿＿＿＿

2. 小蜗牛第一次出去玩，去的时候是____（季节），回来已经是____；
第二次去摘草莓，去的时候是____，回来已经是____；第三次去采
蘑菇，去的时候是____，回来已经是____，说明_____。

3. 读了这篇童话，你受到什么启发？

_____

小个子寓言

寓言阅读入门

故事简单，道理可不简单，要反复思考呀！

什么是寓言？"寓"就是寄托，"言"就是话。把深刻的道理或教训寄托在简短、生动的故事里，就是寓言。

寓言在文学史上有着光辉的地位，深远的影响。有的寓言因为人们长期运用成了有固定意义的成语，如"狐假虎威"、"守株待兔"、"刻舟求剑"、"画蛇添足"、"掩耳盗铃"等等，深受广大人民的喜爱。

寓言中所描写的对象，大多是有生命的东西，如鸟兽虫鱼、花草树木，作为主人公在寓言中活动；还有些没有生命的东西，像风霜雪雨、日月星辰、山川土石等自然事物和人类劳动生产的成品，在寓言中被赋予了生命，说明了某种道理。我国寓言中也有不少是以人为主人公的人物寓言。总之，寓言可写的内容是十分广泛的，它有着旺盛的艺术生命力。

有人曾这样描绘寓言：

寓言是一个魔袋，袋子很小，却能从里面取出很多东西，甚至取出比袋子大得多的东西。

寓言是一个怪物，当它朝你走来的时候，分明是一个故事，生动活泼；而当它转身要走的时候，却突然变成了一个哲理，严肃认真。

寓言是一面镜子，它照出来的可能是你，可能是他，更可能是我自己。

小朋友们，别看寓言个子小小，讲出来的道理可一点也不小。多读点寓言，一定会使你变得又聪明又懂道理。

xiǎohóu chī xī guā
小猴吃西瓜

xiǎo hóu pǎo dào xī guā dì li   tā dì yī cì jiàn shi xī guā   gǎn dào hěn yǒu
小猴跑到西瓜地里，他第一次见识西瓜，感到很有

qù   zhāi xià yí ge xī guā jiù yào chī
趣，摘下一个西瓜就要吃。

pángbiān yì zhī xiǎo niú jiàn tā bǎ gǔnyuán de xī guāwǎng zuǐ biānsòng   jiù duì tā
旁边一只小牛见他把滚圆的西瓜往嘴边送，就对他

shuō   nǐ dà gài bú huì chī xī guā ba   wǒ lái jiāo nǐ
说："你大概不会吃西瓜吧？我来教你……"

xiǎo hóu hěn bú nài fán de dǎ duànxiǎo niú de huàshuō   bú yòng nǐ jiāo   bú
小猴很不耐烦地打断小牛的话说："不用你教！不

yòng nǐ jiāo   shuōzhe tā yì kǒuyǎo xià yí kuài xī guā pí   jiáo jiao méi wèi dao
用你教！"说着他一口咬下一块西瓜皮，嚼嚼没味道，

shēng qì de bǎ yǎo pò de xī guāwǎng dì shang yì rēngshuō   bù hǎo chī   bù hǎo chī
生气地把咬破的西瓜往地上一扔说："不好吃！不好吃！"

xiǎo niú gào su tā   shéiràng nǐ chī pí ne   chī xī guā   yīng gāi chī lǐ tou
小牛告诉他："谁让你吃皮呢？吃西瓜，应该吃里头

de ráng a
的瓤啊！"

阅读
小学一年级

63

阅读练习

xuǎn zì tiánkòng
1. 选字填空。

    yuán yuán gǔn   huā   yuè
(1) 园、圆：滚（　）　花（　）　（　）月

    yǒu   yǒu péng   shí   ài
(2) 友、有：朋（　）　（　）时　（　）爱

chī xī guāyīnggāi chī   ér xiǎohóuchī de shì   suǒ yǐ
2. 吃西瓜应该吃＿＿＿＿，而小猴吃的是＿＿＿＿，所以

xiǎohóushuō xī guā
小猴说西瓜＿＿＿＿＿。

xiǎohóumíngmíng bù zhīdào
3. 小猴明明不知道＿＿＿＿＿＿＿＿，

_{yòu bù tīng xiǎo niú de} _{suǒ yǐ tā cuò le}
又不听小牛的_____，所以他错了。

_{zhè ge gù shi gào su wǒ men shén me dào lǐ} _{qǐng nǐ zài} _{li dǎ}
4. 这个故事告诉我们什么道理？请你在（　　）里打"✓"。

_{chī xī guā bù néng chī pí} _{yào chī lǐ tou de ráng}
A. 吃西瓜不能吃皮，要吃里头的瓤。 （　　）

_{xiǎo hóu bú huì chī xī guā}
B. 小猴不会吃西瓜。 （　　）

_{yīng gāi tīng cóng bié ren de quàn gào} _{bú yào zì yǐ wéi shén me dōu dǒng}
C. 应该听从别人的劝告，不要自以为什么都懂。 （　　）

练兵场 训练34

_{shā jī qǔ dàn}
杀鸡取蛋

阅读
小学一年级
64

_{yǒu ge lǎo tài pó} _{yǎng zhe yì zhī mǔ jī} _{zhè mǔ jī shì yì zhī bǎo bèi jī}
有个老太婆，养着一只母鸡。这母鸡是一只宝贝鸡，
_{tā měi tiān dōu xià yí ge huáng càn càn de jīn dàn} _{lǎo tài pó měi tiān néng jiǎn dào zhè me}
它每天都下一个黄灿灿的金蛋。老太婆每天能拣到这么
_{yí ge dà jīn dàn} _{shén me shìr yě bú yòng gàn} _{rì zi hái guò de tè bié hǎo}
一个大金蛋，什么事儿也不用干，日子还过得特别好。
_{tā xián zhe méi shì gàn} _{jiù tiān tiān shǒu zhe tā de bǎo bèi jī} _{zhǐ pàn wàng tā zǎo diǎn}
她闲着没事干，就天天守着她的宝贝鸡，只盼望她早点
_{xià dàn}
下蛋。

_{yǒu yì tiān} _{mǔ jī zhào lì yòu xià le yí ge jīn dàn} _{lǎo tài pó bǎ jīn dàn}
有一天，母鸡照例又下了一个金蛋。老太婆把金蛋
_{tuō zài shǒu shang} _{xīn li xiǎng} _{zhè bǎo bèi jī yì tiān zhǐ xià yí ge jīn dàn} _{zhēn}
托在手上，心里想："这宝贝鸡一天只下一个金蛋，真
_{jiào rén děng de zháo jí} _{bù rú shā le tā} _{bǎ tā dù zi li de dàn tǒng tǒng de qǔ}
叫人等得着急。不如杀了它，把它肚子里的蛋统统地取
_{chū lái}
出来。"

_{lǎo tài pó ná dìng zhǔ yi} _{zhēn bǎ zhè zhī bǎo bèi jī shā le} _{méi xiǎng dào pōu}
老太婆拿定主意，真把这只宝贝鸡杀了。没想到剖
_{kāi dù zi yí kàn} _{yí ge jīn dàn yě méi yǒu} _{yuán lái zhǎng chéng de jīn dàn yǐ jing}
开肚子一看，一个金蛋也没有，原来长成的金蛋已经
_{xià wán le} _{xīn de jīn dàn hái méi yǒu zhǎng chéng}
下完了，新的金蛋还没有长成。

阅读练习

zì xíng xiǎo mó shù
1. 字形小魔术。

gěi dà zì jiā yì bǐ néngbiànchéng
给"大"字加一笔,能变成_____、_____。

gěi lì zì jiā liǎng bǐ néngbiànchéng
给"力"字加两笔,能变成_____、_____。

gěi bā zì jiā piānpáng néngbiànchéng
给"巴"字加偏旁,能变成_____、_____。

kàn pīn yīn xiě cí yǔ
2. 看拼音写词语。

huáng càn càn   pàn wàng   bǎo bèi   zhào lì
(   ) (   ) (   ) (   )

gēn jù duǎnwén nèi róng tián kòng
3. 根据短文内容填空。

lǎo tài pó tiāntiān shǒu zhe tā de bǎo bèi jī   pàn wàng
老太婆天天守着她的宝贝鸡,盼望_____

yóu yú mǔ jī yì tiān zhǐ xià yí ge dàn   tā děng de   yú shì
由于母鸡一天只下一个蛋,她等得_____,于是

cǎi qǔ le   de fāng fǎ   jié guǒ
采取了_____的方法,结果_____。

tā cuò zài
她错在_____。

训练 35

niú de dà xiǎo
牛的大小

liǎng zhī mǎ yǐ zhēng lùn niú de dà xiǎo
两只蚂蚁争论牛的大小。

yì zhī mǎ yǐ pá dào niú de tí zi shang shuō   niú bǐ wǎn dà bu liǎo duōshao
一只蚂蚁爬到牛的蹄子上,说:"牛比碗大不了多少。"

lìng yì zhī pá dào niú jiǎo shang de mǎ yǐ shuō   bú duì   niú wān wān de
另一只爬到牛角上的蚂蚁说:"不对,牛弯弯的,

cháng duǎn gēn huáng guā chà bu duō
长 短 跟 黄 瓜 差 不 多。"

niú tīng le xiào le xiào shuō qǐng nǐ men duō zǒu zǒu zài xià jié lùn ba
牛听了，笑了笑，说："请你们多走走，再下结论吧。"

liǎng zhī mǎ yǐ zài niú shēnshang pá lái pá qù pá le hǎo yí huìr hái méi yǒu
两只蚂蚁在牛身上爬来爬去，爬了好一会儿还没有

pá biàn niú de quánshēn tā menshuō niú zhēngāo dà a
爬遍牛的全身。他们说："牛真高大啊！"

阅 读 练 习

dì yī zhī mǎ yǐ rènwéi niú de dà xiǎoshì zhè shì yīn wèi dì yī zhī mǎ
1. 第一只蚂蚁认为牛的大小是＿＿＿＿＿＿。这是因为第一只蚂

yǐ zhǐ pá dào le niú de shang ér niú de gēn de dà
蚁只爬到了牛的＿＿＿＿上，而牛的＿＿＿＿跟＿＿＿＿的大

xiǎochà bu duō
小差不多。

dì èr zhī mǎ yǐ rènwéi niú de dà xiǎoshì zhè shì yīn wèi dì èr zhī mǎ yǐ
2. 第二只蚂蚁认为牛的大小是＿＿＿＿＿＿。这是因为第二只蚂蚁

zhǐ pá dào le shang ér gēn chà bu duō
只爬到了＿＿＿＿上，而＿＿＿＿跟＿＿＿＿差不多。

zhè ge gù shi gào su wǒmenshénme dào lǐ
3. 这个故事告诉我们什么道理？（　　　）

mǎ yǐ bǐ niúxiǎo de duō
A. 蚂蚁比牛小得多。

yù dào bù dǒng de wèn tí yàoduōzhēnglùn
B. 遇到不懂的问题要多争论。

kànwèn tí yàoquánmiàn bù néngzhǐ kàn yí bù fen
C. 看问题要全面，不能只看一部分。

bú pà chī kǔ cáinéngxuédào zhī shi
D. 不怕吃苦才能学到知识。

训练 36

hóu zi hé lì shù
猴子和栗树

yǒu yí cì hóu zi fā xiànshāoshú le de lì zi tè bié hǎo chī tā cóng lì
有一次，猴子发现烧熟了的栗子特别好吃，它从栗

阅 读
小学一年级
66

shùshang cǎi xià lái xǔ duō lì zi   zhǔn bèi shāo shú le měi měi de chī yí dùn
树 上 采 下 来 许 多 栗 子，准 备 烧 熟 了 美 美 地 吃 一 顿。

　　hóu zi yào shāo huǒ   kě shì méi yǒu chái   tā jiù ná lái yì bǎ fǔ tou   yào
　　猴 子 要 烧 火，可 是 没 有 柴，它 就 拿 来 一 把 斧 头，要

kǎn lì shù dāng chái shāo
砍 栗 树 当 柴 烧。

　　lì shù jiào dào   yā   péng you   nǐ ài chī wǒ de guǒ shí   yòu yào kǎn wǒ
　　栗 树 叫 道："呀，朋 友！你 爱 吃 我 的 果 实，又 要 砍 我

de shù gàn   rú guǒ kǎn dǎo le wǒ   nǐ yǐ hòu hái yǒu lì zi chī ma
的 树 干。如 果 砍 倒 了 我，你 以 后 还 有 栗 子 吃 吗？"

阅读练习

zhào yàng zi kǒu tóu zǔ cí   bìng xiě xià lái
1. 照 样 子 口 头 组 词，并 写 下 来。

　　zǐ xì   xì xīn   xīn líng   líng huó
　　仔细 → 细心 → 心灵 → 灵活 →（　　）→（　　）

　　píng bǐ   bǐ fēn
　　评比 → 比分 →（　）→（　）→（　）→（　）→（　）

　　huā xiāng
　　花香 →（　）→（　）→（　）→（　）→（　）

zhè piān duǎn wén gòng yǒu   gè zì rán duàn   lì shù shuō le   jù huà
2. 这 篇 短 文 共 有（　　）个 自 然 段。栗 树 说 了（　　）句 话。

hóu zi wèi shén me yào kǎn shù
3. 猴 子 为 什 么 要 砍 树？

_____

lì shù shuō de duì ma   bǎ lì shù shuō de huà dǎ shàng
4. 栗 树 说 得 对 吗？把 栗 树 说 的 话 打 上 "_____"。

训练 37

- - - - - - - - - - - - - - - - - -

_____

yì tiān   xiǎo lǎo shǔ chū wài xún zhǎo shí wù   bù xiǎo xīn zhòng le   jī guān   bèi
一 天，小 老 鼠 出 外 寻 找 食 物，不 小 心 中 了 机 关，被

guān jìn le bǔ shǔ qì　　　 yì tóu lù guò de shī zi jiù le tā　 xiǎo lǎo shǔ gǎn jī de
关进了捕鼠器，一头路过的狮子救了它。小老鼠感激地

biǎo shì 　　 běn rén jiāng lái yí dìng bào dá nín de dà ēn
表示："本人将来一定报答您的大恩。"

shī zi gǎn dào hǎo xiào 　 shuō 　 lǎo dì 　 nǐ zhǎng de zhè me xiǎo 　 néng bāng
　　狮子感到好笑，说："老弟，你长得这么小，能帮

wǒ shén me máng
我什么忙？"

yí ge xīng qī hòu 　 shī zi diào jìn le liè rén mái shè de bǔ shòu wǎng 　 tā yòu
　　一个星期后，狮子掉进了猎人埋设的捕兽网。它又

bèng yòu tiào dà hǒu dà jiào yě wú jì yú shì 　 xiǎo lǎo shǔ tīng dào shī zi de hǒu shēng
蹦又跳大吼大叫也无济于事。小老鼠听到狮子的吼声

gǎn lái ān wèi tā shuō 　 qǐng nín shāo děng yí huìr 　 xiàn zài gāi wǒ dā jiù nín le
赶来安慰它说："请您稍等一会儿，现在该我搭救您了。"

shī zi ào sàng de shuō 　　 nǐ lián bǎ dāo zi dōu méi yǒu 　　 xiǎo lǎo shǔ méi zài
狮子懊丧地说："你连把刀子都没有……"小老鼠没再

shuō shén me 　 yòng yá bǎ wǎng kěn kāi le yí ge dà kū long 　 shī zi hěn kuài zuān chū
说什么，用牙把网啃开了一个大窟窿。狮子很快钻出

le bǔ shòu wǎng 　 tā gāo xìng de hǎn le yì shēng 　 zì yóu la
了捕兽网，它高兴地喊了一声："自由啦！"

68

阅读练习

bú yòng chá zì diǎn 　 lián xì shàng xià wén 　 shuō shuo 　 wú jì yú shì 　 de yì si shì
1. 不用查字典，联系上下文，说说"无济于事"的意思是（　　）

duì shì qing méi yǒu shén me bāng zhù
　　A. 对事情没有什么帮助。

duì bié ren méi yǒu shén me hǎo chù
　　B. 对别人没有什么好处。

duì zì jǐ méi yǒu shén me hǎo chù
　　C. 对自己没有什么好处。

nǐ zhǎng de zhè me xiǎo 　 néng bāng wǒ shén me máng 　　 de yì si shì
2. "你长得这么小，能帮我什么忙？"的意思是（　　）

nǐ zhǎng de zhè me xiǎo 　 néng bāng shang wǒ de máng
　　A. 你长得这么小，能帮上我的忙。

nǐ zhǎng de zhè me xiǎo 　 bù néng bāng wǒ shén me máng
　　B. 你长得这么小，不能帮我什么忙。

zhè zé yù yán gào su wǒ men
3. 这则寓言告诉我们（　　）

yào jì zhù bié ren duì wǒ men de ēn qíng
　　A. 要记住别人对我们的恩情。

B. 别人有困难要帮助他们。

C. 一个人有没有能力，不在于长得是大还是小。

4. 如果给这则寓言选标题，你觉得下面哪一个更好？（　　）

A. 狮子救老鼠　　　B. 老鼠救狮子　　　C. 狮子和老鼠

训练 38

礼　物

有一个农民，十分勤劳。他有一个菜园。有一天，他发现地里长了一个大南瓜。由于他从来没看见过那么大的南瓜，所以又惊奇又高兴。他想了想后，决定把这个大南瓜送给国王。

于是，他带着礼物去见国王了。国王很满意，赠给农民一匹马，以示感谢。农民大喜，接受了礼物，谢了恩，就回家了。

全城都知道了这个消息。一个富人想：农民送了一个南瓜，就得到那么丰厚的礼物，那么我送给国王一匹骏马，他会赠给我什么呢？

yú shì　　fù rén xuǎn le yì pǐ zuì hǎo de mǎ　　qiān dào wáng gōng li　sòng gěi

于是，富人选了一匹最好的马，牵到王宫里，送给

guó wáng

国王。

guó wáng míng bai le　fù rén de jiān jì　　tā jiē shòu le lǐ wù　　dào le xiè

国王明白了富人的奸计。他接受了礼物，道了谢，

jiē zhe jiào pú rén lái　　shuō

接着叫仆人来，说：

jiù shì zhè ge rén gěi le wǒ yì pǐ hǎo mǎ　　wǒ jué dìng huí zèng tā nóng mín

"就是这个人给了我一匹好马，我决定回赠他农民

sòng lái de nà ge dà nán guā

送来的那个大南瓜。"

阅读练习

yòng qià dàng de zì tián kòng

1. 用恰当的字填空。

| yí | nán guā | yí | xiǎo shān | yì | shī zi |

一（　）南瓜　　一（　）小山　　一（　）狮子

| yì | jùn mǎ | yì | jīn yú | yí | hóng qí |

一（　）骏马　　一（　）金鱼　　一（　）红旗

wǒ lái wèn　nǐ lái dá

2. 我来问，你来答。

nóng mín sòng gěi guó wáng shén me lǐ wù　guó wáng mǎn yì ma

（1）农民送给国王什么礼物？国王满意吗？

_____

fù rén de jiān jì shì shén me　guó wáng rú hé duì fu tā

（2）富人的奸计是什么？国王如何对付他？

_____

jù shì liàn xí　zhào yàng zi　xiě jù zi

3. 句式练习。照样子，写句子。

lì　yóu yú tā cóng lái méi kàn jiàn guò nà me dà de nán guā　suǒ yǐ yòu jīng qí yòu gāo xìng

例：由于他从来没看见过那么大的南瓜，所以又惊奇又高兴。

yóu yú　　　　　　　　　　　suǒ yǐ yòu jīng qí yòu gāo xìng

由于_____，所以又惊奇又高兴。

yóu yú　　　　　　　　　　　suǒ yǐ

由于_____，所以_____。

小河和大海
xiǎo hé hé dà hǎi

qiū tiān　hé shuǐshàngzhǎng　hé miànbiàn de kuānkuò le　xiǎo hé jué de tiān
秋天，河水上涨，河面变得宽阔了。小河觉得天

dǐ xià zhǐ yǒu zì jǐ zuì dà le　tā　yì yángyáng
底下只有自己最大了。他得(děi dé de)意洋洋地

dì de　liú xiàng dà hǎi　xiǎng qù hé dà hǎi bǐ yì bǐ shéi dà　yí lù shang
(dì de)流向大海，想去和大海比一比谁大。一路上，

tā yǎngzhe tóu　tǐng zhexiōng　fān juǎn　lànghuā
他仰着头，挺着胸，翻卷着(zhāo zhe zhuó)浪花，

shùn liú ér xià　dào le dà hǎi　zhǐ jiàn yí piànwāngyáng　wǎngyuǎnchù kàn　tiān
顺流而下。到了大海，只见一片汪洋，往远处看，天

lián zhe hǎi　hǎi lián zhe tiān　xiǎo hé yòng jìn quánshēn lì qi　tái qǐ jiǎo gēn　què
连着海，海连着天，小河用尽全身力气，抬起脚跟，却

zěn me yě kàn bu dào àn biān　tā ào sàng de zì yán zì yǔ shuō　āi　wǒ yǐ
怎么也看不到岸边。他懊丧地自言自语说："唉，我以

zì jǐ hěn dà　yuán lái hǎi bǐ wǒ dà de duō
为(wèi wéi)自己很大，原来海比我大得多。"

dà hǎi tīng le xiào zheshuō　bú cuò　wǒ shì bǐ nǐ dà de duō　kě shì rú
大海听了笑着说："不错，我是比你大得多，可是如

guǒ méi yǒu wú shùjiāng hé liú dào wǒ zhè li　wǒ yě bú huì yǒu zhè me dà ya
果没有无数江河流到我这里，我也不会有这么大呀。"

阅读练习

gěiduǎnwénzhōngdàidiǎn de zì xuǎn zé zhèngquè dú yīn　zài xiàmianhuàshàng　xiàn
1.给短文中带点的字选择正确读音，在下面画上"＿＿＿＿"线。

zì yán zì yǔ　de yì si shì
2."自言自语"的意思是＿＿＿＿＿＿＿＿＿＿＿＿＿＿＿＿＿＿。

阅读
小学一年级
71

dú xià mian liǎng jù huà   àn yāo qiú huí dá wèn tí
3. 读下面 两句话，按要求回答问题。

yí lù shang   tā yǎng zhe tóu   tǐng zhe xiōng   fān juǎn zhe làng huā   shùn liú ér xià
(1) 一路上，他仰着头，挺着胸，翻卷着浪花，顺流而下。

yòng   xiàn huà chū biǎo shì xiǎo hé liú tǎng shí dòng zuò de cí   cóng zhè xiē dòng
① 用 "_____" 线画出表示小河流淌时动作的词，从这些动

cí kě yǐ kàn chū
词可以看出_____。

shùn liú ér xià   xiě chū xiǎo hé
② "顺流而下" 写出小河_____。

dào le dà hǎi   zhǐ jiàn yí piàn wāng yáng   wǎng yuǎn chù kàn   tiān lián zhe hǎi   hǎi lián
(2) "到了大海，只见一片 汪 洋，往 远处看，天连着海，海连

zhe tiān   xiǎo hé yòng jìn quán shēn lì qi   tái qǐ jiǎo gēn   què zěn me yě kàn bu dào àn biān   zhè
着天，小河用尽全 身力气，抬起脚跟，却怎么也看不到岸边。" 这

jù huà xiě chū   yòng   xiàn huà chū miáo xiě dà hǎi tè diǎn de cí jù
句话写出_____。用 "~~~~~" 线画出描写大海特点的词句。

阅读
小学一年级

72

xuǎn zé zhèng què dá àn   zài   li dǎ
4. 选择 正 确答案，在 （   ）里打 "√"。

zhè zé yù yán gù shi gào su wǒ men
这则寓言故事告诉我们：

xiǎo hé méi yǒu dà hǎi dà
A. 小河没有大海大。   （   ）

xiǎo hé hěn jiāo ào
B. 小河很骄傲。   （   ）

bù néng zhǐ kàn dào zì jǐ de cháng chù
C. 不能只看到自己的 长 处。   （   ）

jiāng hé dōu liú dào dà hǎi li
D. 江 河都流到大海里。   （   ）

练兵场
------------- 训练 40

māo de gù shi
猫 的 故事

yǒu yì tiān   bái māo hé huā māo yì qǐ wán   tū rán fā xiàn yì zhī lǎo shǔ zài
有一天，白猫和花猫一起玩，突然发现一只老鼠在

tōu chī yú
偷吃鱼。

　　liǎng zhī xiǎo māo dōu xiǎng chī yú　jiù bǎ lǎo shǔ zhèng zài chī de yú qiǎng guò lái le
　　两只小猫都想吃鱼,就把老鼠正在吃的鱼抢过来了。
　　bái māo shuō　　zhè tiáo yú shì wǒ xiān qiǎng dào de　yīng gāi ràng wǒ chī　　huā
　　白猫说:"这条鱼是我先抢到的,应该让我吃!"花
māo shuō　　bú duì　shì wǒ xiān qiǎng dào de　zhè tiáo yú yīng gāi shì wǒ de
猫说:"不对!是我先抢到的,这条鱼应该是我的!"
tā men wèi le dú tūn zhè tiáo yú　dǎ de nán jiě nán fēn
它们为了独吞这条鱼,打得难解难分。
　　dǎ zhe　　dǎ zhe　　tā men fā xiàn yú bú jiàn le　yuán lái lǎo shǔ chèn tā men
　　打着,打着,它们发现鱼不见了,原来老鼠趁它们
zhēng chǎo de shí hou bǎ yú tōu zǒu le
争吵的时候把鱼偷走了。

　　liǎng zhī xiǎo māo zhǐ hǎo nǐ kàn wǒ, wǒ kàn nǐ, dōu
shuō bu chū huà lái.

阅读练习

　　dú duǎn wén zhōng de pīn yīn　　xiě chū hàn zì
1. 读短文中的拼音,写出汉字。

_____

_____

　　zhè zé yù yán xiě le　yí jiàn shén me shì
2. 这则寓言写了一件什么事?

_____

_____

　　zhè zé yù yán gào su wǒ men
3. 这则寓言告诉我们

_____

小鹰和老鹰

小鹰对老鹰说，它将来准备做一番大事业。

① "什么样的大事业呢？"

② "我要到全世界去旅行，飞遍人们没有去过的地方。"

③ "好的，你努力锻炼吧！"

从此，小鹰果然常常在练习飞翔了。糟糕的是，它除了练习飞翔以外，什么事也不愿做，什么事也不屑做。

一天，老鹰对小鹰说："我们一道出去觅食吧！"

"妈妈，你自己去好了，我是不愿做这些事的。"

"为什么？"

"妈妈，你总爱用这些小事来麻烦我！你不是鼓励我努力学习，将来去全世界旅游吗？"

"是的，孩子！"老鹰回答道，"不过，要是你连自己的吃食也不会找的话，那你的理想始终是个气泡，无论如何也实现不了。那样，你飞出去的第一天就会挨饿，第二天就飞不动了，而第三天，你就会饿死的！"

jù jué zuò xiǎo shì qing　　kàn bu qǐ　rì cháng láo dòng de rén　　yīng gāi cóng zhè ge
拒绝做小事情，看不起日常劳动的人，应该从这个
gù shi li xī qǔ jiào xùn
故事里吸取教训。

阅 读 练 习

bǎ xià mian de yīn jié bǔ xiě wánzhěng
1. 把下面的音节补写完整。

l__ xíng　　duàn l__　　fēi x___　　j___ j___

旅　行　　　锻　炼　　　飞　翔　　　拒　绝

dú jù zi　　lǐ jiě cí yì
2. 读句子，理解词义。

shénme shì yě bú xiè zuò　　　bú xiè de yì si shì
(1) "什么事也不屑做"，"不屑"的意思是（　　　）。

kàn bu qǐ　　　　　méiyǒu lì qi　　　　bù qǐ lái
A. 看不起　　　B. 没有力气　　　C. 不起来

wǒmen yí dào chū qù mì shí ba　　mì de yì si shì
(2) "我们一道出去觅食吧"，"觅"的意思是（　　　）。

wèi　　　　　zhǎo　　　　　chī
A. 喂　　　　B. 找　　　　C. 吃

wénzhāngqiánbàn bù fen zhōngbiāoyǒu xù hào de huàdōu shì shéishuō de
3. 文章前半部分中标有序号的话都是谁说的？

shì　　　shuō de　shì　　shuō de　shì　　shuō de
①是_____说的 ②是_____说的 ③是_____说的

dú le　　xiǎoyīng hé lǎoyīng　　nǐ dǒng dé le shénme
4. 读了《小鹰和老鹰》，你懂得了什么？

_____

阅读
小学一年级

75

童心与诗心

儿歌阅读入门

　　儿歌，就是适合儿童阅读传唱的歌谣。在牙牙学语的时候，妈妈就把着我们的两只小手指，边做游戏边唱："斗斗虫，虫虫飞……"后来，不听妈妈的话，顽皮捣蛋，妈妈又教唱："小老鼠，上灯台，偷油吃，下不来，叫妈抱，妈不睬，叽哩咕噜滚下来！"再后来，我们爱唱有一点情节的儿歌，边朗诵边表演，不仅大人看了高兴，我们自己也从中丰富了语言表达能力，懂得了更多的道理和常识。你看，儿歌多受欢迎啊！

　　儿歌一般形式短小活泼，语言浅显，节奏明快，易于上口，能读能唱能表演，有浓厚的生活气息。儿歌的种类很多，有上面说的摇篮歌、游戏儿歌；有数数歌，如："一只青蛙一张嘴，两个眼睛四条腿，

"儿歌伴随我成长！"

扑通一声跳下水。两只青蛙两张嘴，……"；有颠倒歌，如："东西街，南北走，出门看见人咬狗，拿起狗来打砖头，又怕砖头咬了手"；有头字歌、子字歌，就是最后一个字都是"头"或"子"字，比如："这个小胖子，实在没脑子……"；还有绕口令、问答歌，等等。

　　儿歌的内容十分丰富。有的反映了今天儿童热爱祖国、乐于助人的良好品德；有的反映了孩子们讲卫生、爱劳动、懂礼貌等精神风貌；有的呢，还会像小辣椒、小刺猬一样，辣我们一下，刺我们一下，作善意的讽刺和批评。还有描述大自然的美丽及描写有趣的自然现象的儿歌，读了这些作品，

使我们更热爱大自然，更懂得保护环境。

让我们都来和儿歌交朋友，阅读和传唱好儿歌，在这些有趣有益的作品中吸收更多的营养，成长得更健壮。

 训练42

wǒ zhǎnggāo le
我 长 高 了

<table>
<tr><td>xié zi xiǎo le
鞋子小了，</td><td>kù zi duǎn le
裤子短了，</td></tr>
<tr><td>mā ma shuō wǒ zhǎnggāo le
妈妈说我长高了，</td><td>quán jiā pāi shǒu xiào le
全家拍手笑了。</td></tr>
<tr><td>jiǎo zhǎng dà le
脚长大了，</td><td>rén zhǎnggāo le
人长高了，</td></tr>
<tr><td>míngtiān wǒ shàngxué
明天我上学，</td><td>bú ràng mā ma sòng le
不让妈妈送了。</td></tr>
</table>

阅 读 练 习

zhè shǒu ér gē yǒu   jù huà
1. 这首儿歌有（   ）句话。

yòng   yīn wèi   suǒ yǐ   de jù shì lái huí dá
2. 用 "因为……所以……" 的句式来回答。

quán jiā wèishénme pāi shǒu xiào le
(1) 全家为什么拍手笑了？

_____

míngtiān   wǒ   shàngxué   wèishénme bú yào mā ma sòng le
(2) 明天 "我" 上学，为什么不要妈妈送了？

_____

xiànzài nǐ yǐ jing shì yì míngxiǎoxuéshēng le   hé zài yòu ér yuánxiāng bǐ   nǐ dōuyǒu nǎ xiē
3. 现在你已经是一名小学生了！和在幼儿园相比，你都有哪些
jìn bù   qǐng nǐ kǒutóubiǎo dá
进步？请你口头表达。

mā ma de xīn qíng

妈妈的心情

yí fàngshǔ jià　　mā ma wèishén me bā bu dé wǒ men
一放暑假，妈妈为什么巴不得我们

kuài dào wài pó jiā qù dù jià
快到外婆家去度假?

cái zhù liǎng tiān bàn
才住两天半，

mā ma yòu wèi shén me dǎ diàn huà lái
妈妈又为什么打电话来,

wèn wǒ men yào bu yào huí jiā
问我们要不要回家?

阅读

小学一年级

阅 读 练 习

78

zhè shǒu ér gē shì bu shì dú qǐ lái xiàng shuō de shì nǐ jīng lì guò de shìqing　 tā tí le jǐ ge
1. 这首儿歌是不是读起来像说的是你经历过的事情? 它提了几个

wèn tí　　měi ge wèn tí dōu shuōmíng le shénme
问题? 每个问题都说明了什么?

yí fàngshǔ jià　　mā ma wèishénme bā bu dé wǒmenkuài qù wài pó jiā　　yuányīn shì
2. 一放暑假，妈妈为什么巴不得我们快去外婆家? 原因是 (　　)

wài pó xiǎngwǒmen le
A. 外婆想我们了。

shǔ jià bà ba yàochūchāi　　mā ma yí ge rénmáng bu guò lái
B. 暑假爸爸要出差，妈妈一个人忙不过来。

mā mapíngshízhàokàn wǒmen tài lèi le　　xiǎngshǔ jià xiū xi yí xià
C. 妈妈平时照看我们太累了，想暑假休息一下。

cái zhù liǎng tiān bàn　　mā ma yòuwèishénme dǎ diàn huà lái　　wèn wǒmenyào bu yào huí jiā
3. 才住两天半，妈妈又为什么打电话来，问我们要不要回家?

(　　)

mā ma lí bu kāi wǒmen
A. 妈妈离不开我们。

mā ma pà wǒmentiáo pí dǎodàn　　ràngwài pó tài cāo xīn
B. 妈妈怕我们调皮捣蛋，让外婆太操心。

mā ma kě néngyào dài wǒmenwàichū lǚ yóu
C. 妈妈可能 要带我们外出旅游。

训练44

chūnfēng shì shén me yán sè
春风是什么颜色

chūnfēng yì chuī
春风一吹，
jiù bǎ liǔ sī rǎn lǜ le
就把柳丝染绿了。
chūnfēng shì lǜ sè de ma
春风是绿色的吗？

chūnfēng yì chuī
春风一吹，
jiù bǎ táo huā rǎn hóng le
就把桃花染红了。
chūnfēng shì hóng sè de ma
春风是红色的吗？

chūnfēng yì chuī
春风一吹，
jiù bǎ lí huā rǎn bái le
就把梨花染白了。
chūnfēng shì bái sè de ma
春风是白色的吗？

ā　　chūnfēng
啊，春风，

阅 读 练 习

chūnfēng sì hū shì yí wèigāomíng de rǎnjiàng　chūnfēng yì chuī　　　　　　hóng le
1. 春 风 似 乎 是 一 位 高 明 的 染 匠, 春 风 一 吹,(　　　) 红 了,

lǜ le　　　　　　　　　　bái le
(　　　　) 绿 了,(　　　　) 白 了。

nǐ huìyòng　chūnfēng yì chuī　jiù　　　　　　chūntiān shì　　　　sè de
2. 你 会 用 "春 风 一 吹, 就 (　　　), 春 天 是 (　　　) 色 的

ma　　zhèyàng de gé shì xiě shī ma　　cōngmíng de nǐ shì yí shì ba
吗?" 这 样 的 格 式 写 诗 吗? 聪 明 的 你 试 一 试 吧。

cí yǔ jī lěi
3. 词 语 积 累。

nǐ zhīdàoduōshaohán chūn de cí yǔ　xiě chū lái　yuèduōyuèhǎo
(1) 你 知 道 多 少 含 "春" 的 词 语? 写 出 来, 越 多 越 好。

dú xiàmian de cí　xiǎng yì xiǎngzhè xiē bù tóng de　fēng　fēn biéyòngzàishénme jì
(2) 读 下 面 的 词, 想 一 想 这 些 不 同 的 "风" 分 别 用 在 什 么 季

jié　shénmeqíngkuàngxià
节、 什 么 情 况 下?

hé fēng	jīn fēng	shuò fēng	rè fēng	qīng fēng	kuáng fēng
和 风	金 风	朔 风	热 风	轻 风	狂 风

qīngfēng	liángfēng	wēifēng	jí fēng	bàofēng	jù fēng
清 风	凉 风	微 风	疾 风	暴 风	飓 风

练兵场
训练 45

lí　yǔ　xìng
梨 与 杏

lí shù huā　　xìngshù huā
梨 树 花, 杏 树 花,

huā luò jié qǐ jīn gē da
花落结起金疙瘩。

lí zi xìng zi bǐ shéi dà
梨子杏子比谁大，

lí yíng la xìng shū la
梨赢啦，杏输啦，

xìng zi yí xià jí kū la
杏子一下急哭啦。

xiǎo xìng zi bié kū la
小杏子，别哭啦，

zhǎng dà wǒ dāng yuán yì jiā
长大我当园艺家，

fā míng yí ge hǎo bàn fǎ
发明一个好办法，

bǎo zhèng ràng nǐ bǐ lí zi dà
保证让你比梨子大。

阅读练习

ér gē zhōng xiě de shì　　　hé　　　　bǐ dà xiǎo　　　yíng le
1.儿歌中写的是_____和_____比大小，_____赢了，

shū le
_____输了。

wǒ shì zěn yàng quàn xiǎo xìng zi de　yòng　　　bǎ jù zi huà xià lái
2."我"是怎样劝小杏子的？用"﹏﹏﹏"把句子画下来。

huà chū bú shì yí lèi de cí
3.画出不是一类的词。

lì　lí xìng zǎo táo tián
例：梨 杏 枣 桃 甜

mǎ niú jī yáng niǎo
(1) 马 牛 鸡 羊 鸟

tiān fēng diàn léi yǔ
(2) 天 风 电 雷 雨

gōng rén nóng mín zì jǐ xué shēng lǎo shī
(3) 工 人 农 民 自 己 学 生 老 师

wō niú pá shù
蜗牛爬树

shān xià yǒu kē pú táo shù
山下有棵葡萄树，

pú táo téngr wān yòu cū
葡萄藤儿弯又粗。

wō niú bēi zhe xiǎo fáng wū
蜗牛背着小房屋，

tā shuō lái pá pú táo shù
他说来爬葡萄树。

bái tiān pá dào yuè liang shēng
白天爬到月亮升，

yè wǎn pá dào tài yáng chū
夜晚爬到太阳出。

lài há má hā hā xiào
癞蛤蟆，哈哈笑，

tǐng qǐ dù zi qiāoqiāo gǔ
挺起肚子敲敲鼓。

pú táo shùshangméi pú táo
"葡萄树上没葡萄，

wō niú pá shù shǎ hū hu
蜗牛爬树傻乎乎！"

bié xiào wǒ bié xiào wǒ
"别笑我，别笑我，

děng wǒ pá shàng pú táo shú
等我爬上葡萄熟。"

阅 读 练 习

dú pīn yīn xiě cí yǔ
1. 读拼音，写词语。

wō niú　　　pú táo　　　fáng wū

（　　）（　　）（　　）

yuè liang　　yè wǎn　　　dù zi

（　　）（　　）（　　）

bǐ yì bǐ zài zǔ cí
2. 比一比，再组词。

zhuā
抓（　　）

pá
爬（　　）

wō
蜗（　　）

guō
锅（　　）

shú
熟（　　）

rè
热（　　）

zhè shǒu ér gē gòng jié háng xiě le yí jiàn shénme shì
3. 这首儿歌共6节12行，写了一件什么事？

_____

xiǎng yì xiǎng wō niú shǎ ma wèishénme
4. 想一想，蜗牛傻吗？为什么？

_____

训练 47

dà rén guó xiǎo rén guó
大人国，小人国

yī
一

mén líng dīngdīng dà mén kāi
门铃丁丁大门开，
lù yī yóu chāisòng xìn lái
绿衣邮差送信来。
xìn cóng nǎ li lái
信从哪里来？
xìn cóng dà rén guó li lái
信从大人国里来。
xìn zhǐ fāngfāng yí zhàng sì
信纸方方一丈四，
xiě le sān shí liù ge zì
写了三十六个字。
yuē wǒ qù qù yóuwán
约我去，去游玩。
suànsuan lù duōshaoyuǎn
算算路，多少远。
fēi jī yào zǒu yì nián bàn
飞机要走一年半。

èr
二

mén líng dīngdīng dà mén kāi
门铃丁丁大门开，
huáng yī yóu chāisòng xìn lái
黄衣邮差送信来。
xìn cóng nǎ li lái
信从哪里来？
xìn cóngxiǎo rén guó li lái
信从小人国里来。
jiē zhe xìn qiáo yì qiáo
接着信瞧一瞧，
dà zì hái bǐ mǎ yǐ xiǎo
大字还比蚂蚁小。
kuài ná xiǎn wēi jìng zi lái zhào
快拿显微镜子来照，
zhào yí zhào shuō de shén me huà
照一照，说的什么话？
qǐng wǒ zhǎo ge gē zi lóng
请我找个鸽子笼，
tā yào dào zhè li lái guò xià
他要到这里来过夏。

阅读
小学一年级

83

阅读练习

zhè shǒu yǒu qù de ér gē shuō de shì　　　　　　hé　　　zhǐ jiān tōng xìn de shì
1. 这 首 有趣 的 儿歌 说 的 是 （　　　）和（　　　）之间 通信 的 事。

dì yī fēng xìn shì　　　　xiě gěi　　　　　de　　dì èr fēng xìn shì
第一封信是（　　　）写给（　　　）的，第二封信是（　　　）

huí gěi　　　　　de
回给（　　　）的。

dì yī fēng xìn shuō le shénme　　dì èr fēng xìn shuō le shénme
2. 第一封信说了什么？第二封信说了什么？

dì yī fēng xìn de nèi róng shì
　　第一封信的内容是 _____ 。

dì èr fēng xìn de nèi róng shì
　　第二封信的内容是 _____ 。

lǐ jiě shī jù
3. 理解诗句。

qǐng wǒ zhǎo ge gē zi lóng　　tā yào dào zhè lǐ lái guò xià
　　请我 找个 鸽子 笼，他要 到这里 来 过夏。

wǒ　　zhǐ de shì shéi　　shéi yào gěi shéi zhǎo gē zi lóng
（1）"我"指的是谁？谁要给谁 找 鸽子笼？

_____

wèi shénme yào zhǎo ge gē zi lóng
（2）为什么要 找个 鸽子笼？

_____

bǎ zhè shǒu yǒu qù de ér gē dà shēng dú gěi nǐ de xiǎo huǒ bàn tīng
4. 把这 首 有趣 的 儿歌 大 声 读给你 的 小伙伴听。

浅显的古诗

古诗阅读入门

有人说，中国是诗的国度，这话一点儿都不假。从古至今，无数诗人给我们留下了浩如烟海的诗篇，主要有五言诗、七言诗等形式。唐、宋两代是中国诗歌的鼎盛时期，出现了李白、杜甫、白居易、苏轼、陆游等伟大的诗人，涌现了大量脍炙人口的诗篇。

"熟读唐诗三百首，不会作诗也会吟。"

我国古诗吟唱的内容非常广泛，意境十分高远: 有壮丽河山的赞颂，有田园风光的流连，有忧国忧民的感伤，有人间真情的抒发，还有人生哲理的感悟……请看这些千古传诵的名句:

欲穷千里目，更上一层楼。　　　　　（王之涣《登鹳鹊楼》）

野火烧不尽，春风吹又生。　　　　　（白居易《草》）

满园春色关不住，一枝红杏出墙来。　（叶绍翁《游园不值》）

熟读古诗，不仅可以领略中华优秀文化的精华，受到美的陶冶，还可以净化心灵，使人的精神境界得到升华。《语文课程标准》中要求1~6年级学生背诵古今优秀诗文160篇，并推荐了70篇古诗词篇目。对此，我们从小就应熟记、理解。

学古诗，特别要多读多背。有些地方暂时一知半解，不妨放过去，趁着

...记在心，以后慢慢地加深理解。何况，
...感悟。
...和现在不同，句子的表达方法也和现代汉语不一
...我们可以借助注释琢磨诗句的意思。一个个词的意
思弄...想想整句诗、整首诗的意思。
请你...的王国!

训练 48

xuě
雪

táng zhāng dǎ yóu
（唐）张 打 油

阅读
小学一年级

86

jiāngshang yì lóngtǒng   jǐngshang hēi kū long
江 上 一 笼 统， 井 上 黑 窟 窿；
huánggǒushēnshang bái   bái gǒushēnshangzhǒng
黄 狗 身 上 白， 白 狗 身 上 肿。

【注释】
lóngtǒng mó mó hu hu   kū long dòng
①笼统：模模糊糊。   ②窟窿：洞。

阅 读 练 习

gěi jiā diǎn zì xuǎn zé zhèngquè dú yīn
1. 给加点字选择 正 确读音。

tǒng   shang   long
笼统 (lóng nóng) 身上 (shēng shēn) 窟窿 (kū qū)

shī rénmiáo xiě xuějǐng   quán shī quèméiyòng yí ge   xuě   zì   ér shì jiè yòng
2. 诗人描写雪景，全诗却没用一个 "雪" 字，而是借用 ＿＿＿＿、

xíngxiàng de miáo xiě de
＿＿＿＿、＿＿＿＿、＿＿＿＿ 形 象 地描写的。

gài zhù tí mù   nǐ kě yǐ ná zhèshǒushī dāng mí yǔ cāi   shuōgěi zhōuwéi de réntīng   qǐng tā
3. 盖住题目，你可以拿这首诗当谜语猜。说给周围的人听，请他
men dǎ yí zì rán jǐng xiàng
们打一自然景 象。

少年时期记忆力强，先熟读成诵，牢记在心，以后慢慢地加深理解。何况，反复多读，有些诗句自然能有所感悟。

古诗中有些词语，意思和现在不同，句子的表达方法也和现代汉语不一样，读起来会碰到困难。我们可以借助注释琢磨诗句的意思。一个个词的意思弄懂了，再连起来想想整句诗、整首诗的意思。

请你走进古诗的王国！

训练48

xuě
雪

táng zhāng dǎ yóu
（唐）张 打油

jiāngshang yì lóngtǒng   jǐngshang hēi kū long
江 上 一 笼 统， 井 上 黑 窟 窿；
huánggǒushēnshang bái   bái gǒushēnshangzhǒng
黄 狗 身 上 白， 白 狗 身 上 肿。

【注释】
lóngtǒng   mó mó hu hu   kū long dòng
①笼统：模模糊糊。   ②窟窿：洞。

阅 读 练 习

gěi jiā diǎn zì xuǎn zé zhèngquè dú yīn
1. 给加点字选择正确读音。

tǒng   shang   long
笼统 (lóng nóng)   身上 (shēng shēn)   窟窿 (kū qū)

shī rénmiáoxiě xuějǐng   quánshī quèméiyòng yí ge   xuě zì   ér shì jiè yòng
2. 诗人描写雪景，全诗却没用一个"雪"字，而是借用 _____、

xíngxiàng de miáoxiě de
_____、_____、_____ 形象地描写的。

gài zhù tí mù   nǐ kě yǐ ná zhèshǒushī dāng mí yǔ cāi   shuōgěizhōuwéi de rénting   qǐng tā
3. 盖住题目，你可以拿这首诗当谜语猜。说给周围的人听，请他

men dǎ yí zì ránjǐngxiàng
们打一自然景象。

浅显的古诗

古诗阅读入门

有人说，中国是诗的国度，这话一点儿都不假。从古至今，无数诗人给我们留下了浩如烟海的诗篇，主要有五言诗、七言诗等形式。唐、宋两代是中国诗歌的鼎盛时期，出现了李白、杜甫、白居易、苏轼、陆游等伟大的诗人，涌现了大量脍炙人口的诗篇。

我国古诗吟唱的内容非常广泛，意境十分高远：有壮丽河山的赞颂，有田园风光的流连，有忧国忧民的感伤，有人间真情的抒发，还有人生哲理的感悟……请看这些千古传诵的名句：

欲穷千里目，更上一层楼。 （王之涣《登鹳雀楼》）
野火烧不尽，春风吹又生。 （白居易《草》）
满园春色关不住，一枝红杏出墙来。 （叶绍翁《游园不值》）

熟读古诗，不仅可以领略中华优秀文化的精华，受到美的陶冶，还可以净化心灵，使人的精神境界得到升华。《语文课程标准》中要求1～6年级学生背诵古今优秀诗文160篇，并推荐了70篇古诗词篇目。对此，我们从小就应熟记、理解。

学古诗，特别要多读多背。有些地方暂时一知半解，不妨放过去，趁着

gǔ lǎng yuè xíng
古朗月行

tàng lǐ bái
（唐）李白

xiǎo shí bù shí yuè
小时不识月，

hū zuò bái yù pán
呼作白玉盘。

yòu yí yáo tái jìng
又疑瑶台①镜，

fēi zài qíng yún duān
飞在青云端。

【注释】

yáo tái chuán shuō zhōng shén xiān jū zhù de dì fang
①瑶台：传说中神仙居住的地方。

阅 读 练 习

shī rén jiāng yuè liang bǐ zuò
1.诗人将月亮比作（　　　　　），

shuōmíng le yuèliang de yán sè hé xíngzhuàng
说明了月亮的颜色和形状。

nǐ néng yòng zì jǐ de huà shuōshuo zhè shǒu shī de yì si ma
2.你能用自己的话说说这首诗的意思吗？

_____

_____

fēng
风

tàng lǐ qiáo
（唐）李峤

jiě luò sān qiū yè néng kāi èr yuè huā
解落①三秋②叶，能开二月③花。

guò jiāng qiān chǐ làng   rù zhú wàn gān xié

过江千尺浪，入竹④万竿斜。

【注释】

jiě luò yáo luò jiě fēn kāi
①解落：摇落。解，分开。

sān qiū shēn qiū
②三秋：深秋。

èr yuè zhǐ chūn jì
③二月：指春季。

rù zhú fēng chuī rù zhú lín
④入竹：风吹入竹林。

阅读练习

gēn jù gǔ shī nèi róng tián kòng
1. 根据古诗内容填空。

fēng néng chuī luò   de shù yè néng chuī kāi   de huā chuī guò jiāng hé
风 能 吹 落（   ）的 树 叶，能 吹 开（   ）的 花。吹 过 江 河

shí néng xiān qǐ   chuī jìn zhú lín shī néng bǎ wàn gān cuì zhú chuī de
时 能 掀 起（   ），吹 进 竹 林 时 能 把 万 竿 翠 竹 吹 得（   ）。

shī zhōng xiě guò jiāng qiān chǐ làng rù zhú wàn gān xié zhēn de shì qiān chǐ làng wàn gān
2. 诗 中 写"过 江 千 尺 浪，入 竹 万 竿 斜。"真 的 是"千 尺 浪，万 竿

xié ma wèi shén me zhè yàng xiě qǐng nǐ xuǎn zé zhèng què de shuō fǎ
斜"吗？为 什 么 这 样 写？请 你 选 择 正 确 的 说 法。（   ）

wán quán yǒu kě néng shī rén qīn zì cè liáng guò shǔ guò
A. 完 全 有 可 能，诗 人 亲 自 测 量 过、数 过。

bú huì zhè me jīng què zhè zhǐ shì kuā zhāng de xiě fǎ shǐ rén xíng xiàng de gǎn dào fēng zài
B. 不 会 这 么 精 确，这 只 是 夸 张 的 写 法，使 人 形 象 地 感 到 风 在

zì rán jiè de zuò yòng
自 然 界 的 作 用。

bèi sòng zhè shǒu gǔ shī
3. 背 诵 这 首 古 诗。

练兵场 训练51

- -

zèng wāng lún
赠 汪 伦

táng lǐ bái
（唐）李 白

lǐ bái chéng zhōu jiāng yù xíng
李白 乘 舟 将 欲 行，

hū wén àn shang tà gē shēng
忽闻岸上踏歌声。

táo huā tán shuǐ shēn qiān chǐ
桃花潭水深千尺,

bù jí wāng lún sòng wǒ qíng
不及汪伦送我情。

阅 读 练 习

zhè shǒu shī shì lǐ bái xiě gěi   de
1. 这首诗是李白写给（   ）的。

gēn jù gǔ shī nèi róng tián kòng
2. 根据古诗内容填空。

chéng shàng xiǎo chuán jiù yào chū fā le   hū rán tīng jiàn àn shang yǒu rén biān zǒu
　　（   ）乘 上 小 船 就 要 出 发 了，忽 然 听 见 岸 上 有 人 边 走

biān   yuán lái shì   lái sòng wǒ   táo huā tán shuǐ yǒu
边（   ），原 来 是（   ）来 送 我。（   ）桃 花 潭 水 有

qiān chǐ shēn ya   yě bǐ bu shàng   duì wǒ de qíng yì shēn
千 尺 深 呀，也 比 不 上（   ）对 我 的 情 意 深。

gěi dài diǎn de zì xuǎn zé zhèng què de jiě shì
3. 给带点的字选择正确的解释。

lǐ bái chéng zhōu jiāng yù xíng
　　(1) 李白乘舟将欲行（   ）

jiāng jūn   jiāng yào
　　A. 将军　　　B. 将要

bù jí wāng lún sòng wǒ qíng
　　(2) 不及汪伦送我情（   ）

bǐ de shàng   jí shí
　　A. 比得上　　B. 及时

táo huā tán shuǐ zhēn de   shēn qiān chǐ   ma   shī rén bǎ tán shuǐ hé shén me xiāng bǐ
4. 桃花潭水真的"深千尺"吗? 诗人把潭水和什么相比?

训练 52

huà   shān
华　山

sòng   kòu zhǔn
（宋）寇准

zhǐ yǒu tiān zài shàng
只有天在上,

gèng wú shān yǔ qí
更无山与齐。

jǔ tóu hóng rì jìn
举头红日近，

huí shǒu bái yún dī
回首白云低。

阅读练习

jiě shì xiàmian zì de yì si
1. 解释下面字的意思。

jǔ
举:

shǒu
首:

lǎng dú gǔ shī měi ge zì dōu yào dú de zhèng què qīngchǔ sù dù màn yi diǎn hái yào dú
2. 朗读古诗，每个字都要读得正确、清楚，速度慢一点，还要读

chū jié zòu nǐ néng yòng biāochū qí zhōng de zì rán tíng dùn ma
出节奏。你能用"‖"标出其中的自然停顿吗？

shī zhōng miáoxiě de huàshān zuì dà tè diǎn shì shénme
3. 诗中描写的华山最大特点是什么？

_____

nǐ jiànguò huàshān ma shì shénme yàng de
4. 你见过华山吗？是什么样的？

_____

训练 53

shān jū qiū míng
山居秋暝①

táng wáng wéi
（唐）王 维

kōngshān xīn yǔ hòu
空山新雨②后，

tiān qì wǎn lái qiū
天气晚来秋③。

明 月 松 间 照 ，

qīngquán shí shang liú

清 泉 石 上 流 。

【注释】

qiū míng　　qiū tiān de yè wǎn　　　　xīn yǔ　　gāng xià guò de yǔ

①秋 暝：秋天的夜晚。　②新雨：刚下过的雨。

wǎn lái qiū　　qiū tiān de yè wǎn yǐ lái lín

③晚来秋：秋天的夜晚已来临。

阅 读 练 习

cóng　　kōngshānxīn yǔ hòu　　tiān qì wǎn lái qiū　　yí jù　　wǒmen kě yǐ zhīdàozhèshǒu gǔ shī

1. 从 "空 山 新 雨 后，天 气 晚 来 秋" 一句，我们可以知道这首古诗

miáohuì de dì diǎn shì　　　　　　　　shí jiān shì　　　　　　jì jié shì

描 绘 的 地 点 是（　　　），时间是（　　　），季节是（　　　）。

cóng　　míngyuèsōngjiānzhào　　qīngquánshíshang liú　　yí jù　　wǒ men kě yǐ zhīdào shī rénkàn

2. 从 "明 月 松 间 照，清 泉 石 上 流" 一句，我们可以知道诗人看

dào le　　　　　　　　　　　　　　tīngdào le

到 了（　　　　　），听 到 了（　　　　　）。

lǎng dú bìngbèisòngzhèshǒu gǔ shī

3. 朗 读 并 背 诵 这 首 古 诗。

阅读

小学一年级

91

长知识的科学小品

科学小品阅读入门

　　科学小品又叫知识小品，就是用短小的篇幅、通俗的语言、活泼的形式来介绍科学常识。小学生从小阅读一些浅显的科学小品，了解有关的科学知识，对于我们开阔眼界、启发思维、丰富想象力和创造力都很有意义。

　　阅读科学小品，我们首先就要弄清楚它介绍了什么知识，解释了什么现象，从中我们明白了什么，这样也就基本读懂了这篇科学小品。

　　科学小品的叙述具有一定的条理性，先说什么，后说什么，顺序清晰，层次分明。它常常采用比喻、拟人等修辞手法，把要介绍、说明的事物或现象具体化、人格化、生动化，使我们对它的特点、作用或科学道理有更清楚的认识。阅读科学小品，我们就要初步了解这些不同的表达方式，体会这样表达的好处，对我们以后的深入阅读、提高说话写话水平都有帮助。

　　愿科学小品丰富你的知识宝库!

练兵场　　训练54

yǒu qù de kǒnglóng
有趣的恐龙

　　zài　　　wànnián yǐ qián　 dì　qiú shangshēnghuó zhe xǔ duō pá xíng lèi dòng wù
　　在6500万年以前，地球上 生活着许多爬行类动物，
nà jiù shì kǒnglóng　 rén menchángcháng rèn wéikǒnglóng zhǐ shì　yì zhǒngshēn tǐ páng dà
那就是恐龙。人们常常认为恐龙只是一种 身体庞大、

xíng dòng huǎn màn de dòng wù　　　qí shí zhè shì cuò de　　　kǒng lóng yǒu de hěn dà　　bǐ
行动缓慢的动物，其实这是错的。恐龙有的很大，比
shí jǐ tóu dà xiàng jiā zài yì qǐ hái yào dà　　yǒu de què hěn xiǎo　　hé yì zhī jī chà
十几头大象加在一起还要大；有的却很小，和一只鸡差
bu duō　　yǒu de kǒng lóng huì fēi　　wǒ men chēng zuò yì lóng　　yǒu de kǒng lóng shēng huó
不多。有的恐龙会飞，我们称做翼龙；有的恐龙生活
zài shuǐ zhōng　　wǒ men chēng zuò yú lóng　　yǒu de kǒng lóng jiù xiàng niú ya　　mǎ ya
在水中，我们称做鱼龙；有的恐龙就像牛呀、马呀，
zhǐ chī shù yè hé cǎo lèi　　nà shì shí cǎo lèi kǒng lóng　　yǒu de kǒng lóng jiù xiàng lǎo
只吃树叶和草类，那是食草类恐龙；有的恐龙就像老
hǔ　　shī zi yí yàng　　zhuān mén bǔ shí bié de dòng wù　　wǒ men chēng zuò ròu shí lèi
虎、狮子一样，专门捕食别的动物，我们称做肉食类
kǒng lóng　　kǒng lóng de zhǒng lèi yǒu hǎo jǐ bǎi zhǒng　　yàng zi qiān qí bǎi guài
恐龙。恐龙的种类有好几百种，样子千奇百怪。

阅 读 练 习

dú le zhè piān duǎn wén　　nǐ duì kǒng lóng zhī dào le duō shǎo　　qǐng nǐ pàn duàn xià liè shuō fǎ shì
1. 读了这篇短文，你对恐龙知道了多少？请你判断下列说法是
fǒu zhèng què　　duì de zài　　　　　 lǐ dǎ　　　　cuò de dǎ
否正确，对的在（　　）里打"√"，错的打"×"。

wàn nián yǐ hòu　　kǒng lóng cái chū xiàn zài dì qiú shang
　　(1) 6500万年以后，恐龙才出现在地球上。　　　　（　　）
kǒng lóng shì yì zhǒng pá xíng lèi dòng wù
　　(2) 恐龙是一种爬行类动物。　　　　　　　　　（　　）
kǒng lóng shēn tǐ fēi cháng páng dà　　xíng dòng huǎn màn
　　(3) 恐龙身体非常庞大，行动缓慢。　　　　　　（　　）
kǒng lóng zhǐ chī shù yè hé cǎo lèi　　bù chī ròu
　　(4) 恐龙只吃树叶和草类，不吃肉。　　　　　　（　　）
kǒng lóng jīn tiān yǐ jīng jiàn bu dào le　　tā zǎo yǐ miè jué le
　　(5) 恐龙今天已经见不到了，它早已灭绝了。　　（　　）

kǒng lóng shēng huó zài shén me shí hou　　qǐng nǐ shuō chū nǐ suǒ zhī dào de jǐ zhǒng kǒng lóng de míng
2. 恐龙生活在什么时候？请你说出你所知道的几种恐龙的名
zi
字。

bǎ xià liè zì àn yāo qiú pái duì
3. 把下列字按要求排队。
shǐ　yǎng　róng　dān　xǐng　yīn　shēn
使　仰　容　担　醒　因　身

zhěng tǐ rèn dú yīn jié
(1) 整体认读音节：_____

qián bí yīn yīn jié
(2) 前鼻音音节：_____

hòu bí yīn yīn jié
(3) 后鼻音音节：_____

训练55

yuè liang wèi shén me bú huì diào xià lái

月亮为什么不会掉下来

阅读

小学一年级

94

yuè liang shì dì qiú de wèi xīng jiù
月亮是地球的卫星，就
hǎoxiàng shì dì qiú de wèi bīng yì nián sì
好像是地球的卫兵，一年四
jì bù tíng de rào zhe dì qiú xuánzhuǎn kě
季不停地绕着地球旋转。可
yuèliang zài kōngzhōngxuánzhuǎnquè bú huì diào
月亮在空中旋转却不会掉
xià lái nà shì shén me yuán yīn ne nà
下来，那是什么原因呢？那
shì yīn wèi yuèliangxiǎng lí kāi dì qiú dàn shì dì qiú de yǐn lì quèxiàng yì zhī kàn bu
是因为月亮想离开地球，但是地球的引力却像一只看不
jiàn de dà shǒu jǐn jǐn zhuāzhù yuèliang bú fàng zhèyàng yí ge yào lí kāi yí ge
见的大手，紧紧抓住月亮不放。这样，一个要离开，一个
yào lā zhù liǎngbiān lì liàngzhènghǎoxiāngděng suǒ yǐ yuèliang jiù bú huì diào xià lái le
要拉住，两边力量正好相等，所以月亮就不会掉下来了。

阅读练习

gěi xiàmian de pīn yīnbiāoshàngshēngdiào shuōshuo tā dú shénme yǔ qì
1. 给下面的拼音标上声调，说说它读什么语气。

　　　yue liang wei shen me bu hui diao xia lai

qū bié zì xíng zǔ cí
2. 区别字形，组词。

rào 绕（　　）	xuán 旋（　　）	zhuā 抓（　　）
ráo 饶（　　）	lǚ 旅（　　）	bā 扒（　　）

zhè duàn huà gòng yǒu   jù   dì   jù tí chū wèn tí   dì

3. 这段话共有（   ）句，第（   ）句提出问题，第（   ）

liǎng jù huí dá wèn tí

两句回答问题。

yuè liang bú huì diào xià lái   shì yīn wèi

4. 月亮不会掉下来，是因为（   ）。

训练 56

xiǎo kūn chóng zěn yàng bì shǔ

小昆虫怎样避暑

xià tiān   fēng wō li wēn dù hěn gāo   xiǎo mì fēng fēn fēn cóng xiǎo hé li yùn lái

夏天，蜂窝里温度很高，小蜜蜂纷纷从小河里运来

shuǐ   sǎ zài cháo li   bìng shān dòng chì bǎng jiàng wēn

水，洒在巢里，并扇动翅膀降温。

mǎ yǐ bì shǔ de fāng fǎ hěn qiǎo miào   tā men bān lái shā lì hé xiǎo tǔ kuài fēng

蚂蚁避暑的方法很巧妙，它们搬来沙粒和小土块封

zhù dòng kǒu   fáng zhǐ rè qì jìn dòng

住洞口，防止热气进洞。

hóng qīng tíng yòng wěi ba cháo zhe tài yáng   bú ràng liè rì shài dào tóu shang   yǐ fáng

红蜻蜓用尾巴朝着太阳，不让烈日晒到头上，以防

zhòng shǔ

中暑。

huā hú dié dào le zhōng wǔ   jiù hé lǒng chì bǎng   dào guà zài shù yè de bèi hòu

花蝴蝶到了中午，就合拢翅膀，倒挂在树叶的背后

bì shǔ

避暑。

阅 读 练 习

jiā diǎn de zì zěn yàng dú

1. 加点的字怎样读？

li   shǔ   shǔ

巢里(cháo cáo)   避暑(pì bì)   中暑(zhōng zhòng)

^{wénzhōng xiě le nǎ jǐ zhǒng dòngwù de bì shǔ fāng fǎ}
2. 文中写了哪几种动物的避暑方法？

_____

^{nǐ hái zhīdào shénme xiǎo dòngwù de bì shǔ fāng fǎ}
3. 你还知道什么小动物的避暑方法？

_____

训练57

^{bú luò yè de shù}
不落叶的树

^{hán fēng yí zhèn zhèn chuī zhe　　　　kū huáng de shù yè jià zhe hán fēng qīng yōu yōu de}
寒风一阵阵吹着，枯黄的树叶驾着寒风轻悠悠地
^{piāo luò xià lái　　dàn sōng shù　　dōng qīng yì nián sì jì dōu chuān zhe lǜ yī fu　　fēi}
飘落下来。但松树、冬青一年四季都穿着绿衣服，非
^{cháng piàoliang　　zhè shì wèishénme ne}
常漂亮，这是为什么呢？

^{sōng shù shēn shang de yè zi shì zhēn yè　　xiàng zhēn yí yàng　　shuǐ bú huì cóng yè}
松树身上的叶子是针叶，像针一样，水不会从叶
^{zi shang liū zǒu　　bú pà quē shuǐ　　yòng bu zháo luò yè　　dōng qīng shēn shang de yè zi}
子上溜走，不怕缺水，用不着落叶。冬青身上的叶子
^{kuò kuò de　　yè zi shàngmian bāo zhe yì céng xiàng là　yí yàng de dōng xi　　shuǐ jiù bú}
阔阔的，叶子上面包着一层像蜡一样的东西，水就不
^{huì liū zǒu　　dōng tiān tā men yě shì bú luò yè de}
会溜走，冬天它们也是不落叶的。

^{qí shí　　tā men yě zài bú duàn de luò yè　　zhǐ yǒu cū xīn de xiǎo péngyou cái}
其实，它们也在不断地落叶，只有粗心的小朋友才
^{shuō tā men bú diào yè zi　　tā men diào le yè zi yǐ hòu　　huì bú duàn yǒu xīn de shù}
说它们不掉叶子。它们掉了叶子以后，会不断有新的树
^{yè zhǎng chū lái}
叶长出来。

阅读练习

^{duǎnwén jiè shào le　　　　　　hé　　　　　　zài dōngtiān bú luò yè zi}
1. 短文介绍了_____和_____在冬天不落叶子。

sōngshùwèishénme bú luò yè zi　　qǐngzài duǎnwénzhōngyòng　　　　huàchū dá àn

2. 松 树 为 什 么 不 落 叶 子? 请 在 短 文 中 用 "＿＿＿" 画 出 答 案。

dōngqīngwèishénme bú luò yè zi　　qǐngzàiduǎnwénzhōngyòng　　　huàchū dá àn

3. 冬 青 为 什 么 不 落 叶 子? 请 在 短 文 中 用 "～～～" 画 出 答 案。

sōngshù　　dōngqīngzhēn de bú luò yè zi ma　　wèishénme

4. 松 树、冬 青 真 的 不 落 叶 子 吗? 为 什 么?

训练58

nǐao wèi shén me néng fēi

鸟为什么能飞

nǐao de chì bǎngshangzhǎngzhe xǔ duō yǔ máo　　hěnqīng　　tā bǎ shēn tǐ liǎngbiān

鸟 的 翅 膀 上 长 着 许 多 羽 毛, 很 轻。它 把 身 体 两 边

de chì bǎngzhāng kāi lái　　shàngxià bù tíng de pāidòng　　zhèyàng　　zhōuwéi jiù huì chǎn

的 翅 膀 张 开 来, 上 下 不 停 地 拍 动, 这 样, 周 围 就 会 产

shēngfēng　　nǐaobiànshùnzhefēngmànmàn fēi shàngtiānkōng

生 风, 鸟 便 顺 着 风 慢 慢 飞 上 天 空。

nǐao de gǔ tou shì kōng xīn de　　tǐ nèi yòu yǒuzhuāngkōng qì de qì náng　　ér

鸟 的 骨 头 是 空 心 的, 体 内 又 有 装 空 气 的 气 囊, 而

qiě huī dòng chì bǎng de lì qi hěn dà　　suǒ yǐ hěn shì hé fēi xíng

且 挥 动 翅 膀 的 力 气 很 大, 所 以 很 适 合 飞 行。

yǐ qián　　yǒu rén zhuānmén zài shēnshangzhuāng le liǎng ge chì bǎng　　xiǎngxiàngnǐao

以 前, 有 人 专 门 在 身 上 装 了 两 个 翅 膀, 想 像 鸟

yí yàng zài tiānshang fēi　　dàn shì rén de shēn tǐ hěnzhòng　　yòuméi yǒu lì qi huīdòng

一 样 在 天 上 飞。但 是 人 的 身 体 很 重, 又 没 有 力 气 挥 动

chì bǎng　　suǒ yǐ gēn běn fēi bu qǐ lái

翅 膀, 所 以 根 本 飞 不 起 来。

nǐao zài tiānkōngzhōng　　lì yòng chì bǎng hé wěi ba de yǔ máo　　zuò gè zhǒng bù

鸟 在 天 空 中, 利 用 翅 膀 和 尾 巴 的 羽 毛, 做 各 种 不

tóng de fēi xíngdòngzuò　　zì yóu zì zài de fēi xiáng

同 的 飞 行 动 作, 自 由 自 在 地 飞 翔。

阅读练习

nǐao shì zěnyàng fēi shàngtiānkōng de　　yòng　　　zài yuánwénzhōnghuàchūyǒuguān yǔ jù

1. 鸟 是 怎 样 飞 上 天 空 的? 用 "＿＿" 在 原 文 中 画 出 有 关 语 句。

niǎonéng fēi shàng lán tiān　ér rénquè bù néng　wèishénme　qǐngxuǎn zé zhèngquè dá àn
2. 鸟 能 飞 上 蓝 天，而 人 却 不 能，为 什 么？请 选 择 正 确 答 案。

niǎolínghuó　rénhěnbèn
　　A. 鸟 灵 活，人 很 笨。　　　　　　　　　　　　　（　　）

niǎohěnqīng　rénhěnzhòng
　　B. 鸟 很 轻，人 很 重。　　　　　　　　　　　　（　　）

niǎo de gǔ tou shì kōngxīn de　tǐ nèiyòuyǒu qì náng
　　C. 鸟 的 骨 头 是 空 心 的，体 内 又 有 气 囊。　　（　　）

niǎoyǒu yǔ máo　ér rénméiyǒu
　　D. 鸟 有 羽 毛，而 人 没 有。　　　　　　　　　　（　　）

niǎohuīdòngchìbǎng de lì qi hěn dà　ér rén lì qi xiǎo
　　E. 鸟 挥 动 翅 膀 的 力 气 很 大，而 人 力 气 小。　（　　）

dòngwù gěi rénmenhěnduō qǐ fā　bǐ rú rénmenfǎngzhàoniǎo de fēi xíngzàochū le fēi jǐ　gēn
3. 动 物 给 人 们 很 多 启 发。比 如 人 们 仿 照 鸟 的 飞 行 造 出 了 飞 机，根
jù pángxiè de liǎngtiáoqián tuǐ zàochū le qián zi　nǐ hái zhī dào nǎ xiē fā míngshì shòudòngwù qǐ fā
据 螃 蟹 的 两 条 前 腿 造 出 了 钳 子。你 还 知 道 哪 些 发 明 是 受 动 物 启 发
de
的？

阅读
小学一年级

练兵场　训练 59

rì yòng pǐn　huì shuōhuà
日 用 品 会 说 话

xiǎopéngyou　nǐ yí dìng jiàn guò huì shuōhuà de wànnián lì　liú yándiànhuà ba
　　小 朋 友，你 一 定 见 过 会 说 话 的 万 年 历、留 言 电 话 吧，
kě shì nǐ tīngshuōguò huì shuōhuà de diànbīngxiāngma　zhè bú shì tónghuà　ér shì rì
可 是 你 听 说 过 会 说 话 的 电 冰 箱 吗？这 不 是 童 话，而 是 日
běn kē xué jiā xīn jìn yán zhì chū lái de　nǐ rú guǒjiāngmǎi lái de yí dà duī kuàicān
本 科 学 家 新 近 研 制 出 来 的。你 如 果 将 买 来 的 一 大 堆 快 餐
miàn　qiǎo kè lì děng yì gǔ nǎofàng jìn bīngxiāng　bīngxiāng jiù huì rǎngdào　nǐ fàng
面、巧 克 力 等 一 股 脑 放 进 冰 箱，冰 箱 就 会 嚷 道："你 放
de shí pǐn tài duō le　wàng jì guānbīngxiāngmén　bīngxiāngyòu huì tí xǐng nǐ　bīng
的 食 品 太 多 了。"忘 记 关 冰 箱 门，冰 箱 又 会 提 醒 你："冰

箱门还开着呢。"新奇吧?

你如果不会使用洗衣机,德国研制的会说话的全自动洗衣机会耐心地告诉你怎样使用。放多少洗衣粉和水,选择哪一档转速,它都会提醒你。最后它还会说:"洗好了,请把衣服拿出来。"瞧,这些会说话的日用品使用起来是不是很方便,感到很亲切?

你可能会问:"有会说话的学习用具吗?"当然有啦!有一种会说话的笔,内存6万多个单词,除书写外,还会用英、俄、德语进行简单会话和提示。还有一种笔记本也会说话,当你把每天要做完的功课储存在笔记本里,它就会按时提醒你完成作业。

随着科技的发展,会说话的日用品越来越多,如电视机、温度计、锁、手表、自行车、手套……它们给人们带来了很多方便,也使人们的生活和工作充满更多的乐趣。

阅读练习

1. 借助词典,理解下列词语。

(1) 日用品:＿＿＿＿＿＿＿＿＿＿＿＿＿

(2) 储存:＿＿＿＿＿＿＿＿＿＿＿＿＿

tiánkòng
2. 填空。

　　zhèpiānwénzhāngzhǔyào jiè shào de shì
　　(1) 这篇文章主要介绍的是_____、_____、_____、_____等
jǐ zhǒng rì yòngpǐn
几种日用品。

　　wénzhāngzhōng jiè shào de rì yòngpǐn de tè diǎnshì
　　(2) 文章中介绍的日用品的特点是_____。

　　huìshuōhuà de rì yòngpǐn de hǎochù shì
　　(3) 会说话的日用品的好处是_____。

nǐ jiǎ shè jǐ zhǒngqíngxíng　xiǎngxiàng yí xià diànshì jǐ zài zhè jǐ zhǒngqíngxínghuìshuōshén
3. 你假设几种情形，想象一下电视机在这几种情形会说什
me　xiàng dì yī zì ránduàn nà yàngxiě zài xiàmian
么，像第一自然段那样写在下面。

_____

_____

阅读
小学一年级

100

训练60
- - - - - - - - - - - - - - - - - - - -

tài yángguāng de yán sè
太阳光的颜色

　　xiǎo bái tù tīng niú yé ye shuō　tài yángguāng de yán sè yǒu hěn duō xué wen　tā
　　小白兔听牛爷爷说，太阳光的颜色有很多学问。他
tiān tiān kàn tài yáng　hěnxiǎng zhī dào tài yángguāng shì shén me yán sè de
天天看太阳，很想知道太阳光是什么颜色的。
　　xiǎo bái tù qù wènxiǎoniǎo　xiǎoniǎoshuō　tài yángzhào zài shù yè shang　shù
　　小白兔去问小鸟。小鸟说："太阳照在树叶上，树
yè lǜ yōu yōu de　tài yángguāng shì lǜ sè de
叶绿油油的，太阳光是绿色的。"
　　tā yòu qù wènxiǎo mì fēng　xiǎo mì fēngshuō　tài yángzhào zài huā duǒshang
　　他又去问小蜜蜂。小蜜蜂说："太阳照在花朵上，
huā duǒhóngyàn yàn de　tài yángguāng shì hóng sè de
花朵红艳艳的，太阳光是红色的。"
　　tā yòu qù wènxiǎoqīng wā　xiǎoqīng wā shuō　tài yángzhào zài dào suì shang
　　他又去问小青蛙。小青蛙说："太阳照在稻穗上，

稻穗金灿灿的，太阳光是黄色的。"

小白兔想："小鸟说太阳光是绿色的，小蜜蜂说太阳光是红色的，小青蛙说太阳光是黄色的……哟，他们说的都是自己喜爱的颜色。那么，太阳光到底是什么颜色呢？"小白兔想呀想呀……

这天，雨过天晴，天边出现了一道美丽的彩虹。

"对！我去问彩虹，她住在天上，一定会知道。"小白兔跑去大声问："彩虹阿姨，您知道太阳光是什么颜色吗？"

彩虹说："小白兔，你先数一数我身上的颜色吧。"

小白兔数起来："红、橙、黄、绿、青、蓝、紫，啊！一共七种颜色。"

彩虹阿姨说："对啦！我身上的七种颜色就是太阳公公给的。"

小白兔快活地说："我明白了。原来，太阳光是七种颜色组成的。谢谢您，彩虹阿姨！"

阅读练习

1. 把下面的字的拼音正确地书写在四线三格里，再读一读。

———————————————

红　橙　黄　绿　青　蓝　紫

^{zhào yàng zi} ^{xiě cí yǔ} ^{kàn nǐ néng xiě jǐ ge}
2. 照样子，写词语，看你能写几个。

^{lǜ yōuyōu}
绿油油 _____ _____ _____

^{tài yáng guāng shì yóu nǎ jǐ zhǒng yán sè zǔ chéng de}
3. 太阳光是由哪几种颜色组成的？

_____

^{dú le duǎn wén} ^{nǐ jué de xiǎo bái tù yǒu nǎ xiē fāng miàn zhí de nǐ xué xí}
4. 读了短文，你觉得小白兔有哪些方面值得你学习？

_____

_____

yuè dú qǐ bù
阅读起步

训练 1

1. 菊花 / 开了, / 好香啊! (感叹、赞美语气) 2. 你 / 愿意 / 和 我一起 / 种稻子吗? (疑问或询问语气) 3. 古老的 / 威尼斯 / 又 沉 沉地 / 入睡了…… (缓慢语气) 4. 星星 / 在夜空 中 / 闪烁着 / 柔和的 光 芒。(平稳语气) 5. 有谁知道 / 碗里的 / 饭, / 每一粒 / 都是 / 农民伯 伯 / 用辛苦的 / 汗水 / 换来的啊! (感叹语气) 6. 春姐姐的 / 花篮 / 哪去了? / 夏哥哥的 / 绿叶儿 / 遮住了。(前半句疑问语气, 后半句平稳语气)

训练 2

生 字 shēng zì	音序 yīn xù	读音 dú yīn	部首 bù shǒu	除部首 chú bù shǒu 外几画 wài jǐ huà	结构 jié gòu	《新华字典》 xīn huá zì diǎn 哪一页 nǎ yí yè	你使用哪 nǐ shǐ yòng nǎ 种查字法 zhǒng chá zì fǎ
沉	C	chén	氵	4	左右 zuǒ yòu	55页 yè	部首查字法 bù shǒu chá zì fǎ
异	Y	yì	廾（巳）	3(3)	上下 shàng xià	579页 yè	音序查字法 yīn xù chá zì fǎ
乖	G	guāi	丿	7	独体 dú tǐ	166页 yè	部首查字法 bù shǒu chá zì fǎ
凹	A	āo	丨（凵）	4(3)	独体 dú tǐ	6页 yè	数笔画查字法 shū bǐ huà chá zì fǎ
直	Z	zhí	十	6	上下 shàng xià	636页 yè	部首查字法 bù shǒu chá zì fǎ

训练 3

wú yǐng wú zōng yì diǎn yǐng zi yì diǎn zōng jì yě méi yǒu xíng róng wán quán xiāo shī zhè li zhǐ huài
1. 无影无踪: 一点影子一点踪迹也没有, 形容完全消失。这里指"坏

dàn duǒcáng de bú jiàn rén yǐng
蛋"躲藏得不见人影。

wú kě nài hé yì diǎn bàn fǎ yě méi yǒu
2. 无可奈何：一点办法也没有。

训练 ④

1.(1) ×　(2) ✓　(3) ×　(4) ×　(5) ×　(6) ✓

2.(1) A　(2) D　(3) B　(4) C　(5) D　(6) A

训练 ⑤

1.(1) A　(2) C　　2.(1) D　(2) C

jiǎn dān de xiě jǐng zhuàng wù yuè dú
简单的写景状物阅读

训练 ⑥

mù tián jiǎ yóu shēn tiān fū qiàn cóng chí tā tā
1. 目 田 甲 由 申…… 天 夫 欠 从…… 驰 他 她

chí lüè zhù yì yào shuō tóng yí lèi cí yǔ lüè dōng tiān
池…… 2. 略（注意要说同一类词语） 3. 略 4. 冬天

rén huò mó shù shī
人（或：魔术师） 5. C

训练 ⑦

lǜ yōu yōu hóng tōng tōng rè hū hū lěng sōu sōu gāo gāo xìng xìng jí jí máng máng
1. 绿油油 红彤彤 热乎乎 冷嗖嗖…… 高高兴兴 急急忙忙

lǐ lǐ wài wài shàng shàng xià xià sān tǎ xiǎo shān tián yě shù lín
里里外外 上上下下…… 2. 三 3. 塔 小山 田野 树林

zǎo chén zhǐ de shì bái máng máng de dà wù
4. 早晨 5. 指的是白茫茫的大雾。

训练 ⑧

yáo lán jī chǎng chì bǎng gē tái zuǐ ba liáng mào lüè
1. 摇篮 机场 翅膀 歌台 嘴巴 凉帽 2. 略

yáo lán jī chǎng gē tái liáng mào lüè
3. 摇篮 机场 歌台 凉帽 4. 略

训练 ⑨

gǔ lǎo ér yòu gāo dà qiǎn huáng sè yòu hóng yòu tián
1. 氵 夂 礻 2. 古老而又高大 浅黄色 又红又甜

hěn dà hěn dà hóng hóng dà hóng zǎo kāi mǎn qiǎn huáng sè de zǎo huā
（很大很大） 红红 3. 大红枣 4. 开满浅黄色的枣花

jiē mǎn le xiǎoqīngzǎo　　　zǎo zi biàn de yòuhóngyòu dà
结满了小青枣　　枣子变得又红又大　　5. 略 lüè

训练⑩

1. (1) 呢 ne　(2) 啦 la　(3) 了 le　(4) 吧 ba　(5) 吗 ma　(6) 啊 a

2. 片 piàn　首 shǒu　棵 kē　串 chuàn　条 tiáo　颗 kē　　3. D　　4. 这些东西都 zhè xiē dōng xi dōu
是大自然无私地奉献给我们的。我们要爱护森林（大自然），保护森林（大 shì dà zì rán wú sī de fèngxiàn gěi wǒ men de　wǒ men yào ài hù sēn lín　dà zì rán　bǎo hù sēn lín　dà
自然）。　　5. 略 lüè zì rán lüè

训练⑪

1. yì tiān　yí dào　yì zhāng　yí kàn　yí dìng　yì tóng

2. 傍晚 bàngwǎn　早晨 zǎochén　　3. 拖 tuō　啃 kěn　钻 zuān　　4. 首先：先啃青虫 shǒuxiān　xiān kěn qīngchóng
的嘴　然后：从青虫的嘴里钻进去　　5. 蚂蚁不咬青虫的皮 de zuǐ　rán hòu　cóngqīngchóng de zuǐ li zuān jìn qù　mǎ yǐ bù yǎoqīngchóng de pí

6. 略 lüè

训练⑫

1. 划去的错读音节：guàn　cuō　pēi　cì　　2. 恰当的词 huà qù de cuò dú yīn jié　qià dàng de cí
语：漂亮 喜欢 声响 昂 威武　　3. 略 lüè　　4. 按句 yǔ pià oliang xǐ huan shēngxiǎng áng wēi wǔ　àn jù
号分，共 6 句。　　5. 冠子→嘴→眼睛→耳朵→羽毛→腿→爪子→尾巴 hào fēn gòng jù　guān zi zuǐ yǎn jing ěr duo yǔ máo tuǐ zhuǎ zi wěi ba

训练⑬

1. (1) C　(2) B　　2. 唐代建造的，位于我国四川省乐山市 táng dài jiàn zào de　wèi yú wǒ guó sì chuānshěng lè shān shì
3. 放一张吃饭桌　并立两个人　围坐一百余人　略　　4. 有人 fàng yì zhāng chī fàn zhuō　bìng lì liǎng ge rén　wéi zuò yì bǎi yú rén lüè　yǒu rén
比喻"佛是一座山，山是一尊佛"　这句话形象地说明石佛像很大，依 bǐ yù fó shì yí zuòshān shān shì yì zūn fó　zhè jù huàxíngxiàng de shuōmíng shí fó xiànghěn dà yī
山而凿，几乎与整座山融为一体，分不开哪是山哪是佛。 shān ér záo jǐ hū yǔ zhěngzuòshānróngwéi yì tǐ fēn bu kāi nǎ shì shān nǎ shì fó

训练⑭

1. 划掉的：(盖 蒙) (降落)　　2. 一转眼 突然 不 huà diào de gài méng jiàng luò　yì zhuǎn yǎn tū rán bù
一会儿 yí huìr　3. (1) 巨大的黑布 jù dà de hēi bù　(2) 巨大的瀑布 jù dà de pù bù　　4. ④③①②

训练 15

1. 略　　　2. qián zhōng shū shì yí wèi dà xué wen jiā

xǐ ài　　xǐ ài shū jí　　　　　qiánzhōngshū yì zhōu suì de shí hou　　fù mǔ bǎi le xǔ duōdōng xi
3. (1) 喜爱　喜爱书籍　(2) 钱 钟 书 一 周 岁 的 时 候，父 母 摆 了 许 多 东 西

ràng tā zhuā　tā bié de dōu bú yào　shēnshǒu jiù ná le yì běn shū　qiánzhōngshū de fù mǔ fēi chánggāoxìng　jiù
让 他 抓。他 别 的 都 不 要，伸 手 就 拿 了 一 本 书。钱 钟 书 的 父 母 非 常 高 兴，就

gěi tā qǔ míngjiào　zhōngshū　　　　lüè
给 他 取 名 叫 "钟 书"。　　4. 略

训练 16

lüè
1. 略　　　2. (1) A　　(2) A　　(3) B　　3. āi yō　tā zěn me bú hài
哎 哟，她 怎 么 不 害

pà ya　yào shì fēi dào le cì shang　nà huì zěn me yàng a　　　wèi le bú ràng cì huái cì shāng hú dié
怕 呀！要 是 飞 到 了 刺 上，那 会 怎 么 样 啊？　4. 为 了 不 让 刺 槐 刺 伤 蝴 蝶。

训练 17

xǐ ài　　hǎn jiàn　　gǎnmáng　　zhùmíng　　　yīng　yán jiū shēng wù　shēng
1. 喜爱　罕见　赶忙　著名　　2. (1) 英　研究生物　生

wù xué jiā　(2) sān bō li hé　　jǐn guǎn nà zhǐ kūnchóng　zǐ zǐ xì xì de yán jiū qǐ
物学家　(2) 三　玻璃盒　3. 尽管那只昆 虫……仔仔细细地研究起

lái　lüè
来。　4. 略

训练 18

1. (1)、、　(2) ?　(3), , !　(4), !　2. zhāi摘
shuān pāo zhuài　　　gǔ dài yī shēng　　huà tuó bǎ shuānzhe shí tou de shéng zi pāo
拴 抛 拽　3. (1) 古代 医生　(2) 华佗把拴着石头的绳子抛

guò zhī tiáo　chánzhù zhī tiáo　shǐ jìn zhuàishéng zi　zhī tiáo bèi lā dī le　jiù zhāi xià le shù dǐngshang de yè
过枝条，缠住枝条，使劲拽绳子，枝条被拉低了，就摘下了树顶上的叶

zi　　　yīn wèi lǎo yé ye rèn wéi huà tuó shì ge ài dòngnǎo jīn de hái zi　　　lüè
子。　(3) 因为老爷爷认为华佗是个爱动脑筋的孩子。　4. 略

训练 19

tī　dā　tīng　tiào　chuī　　　　　　　　　　lüè
1. 踢　搭　听　跳　吹　　2. B　　3. A　　4. 略

训练 20

lüè
1. 略　　　2. (1) ○　(2) △　(3) □　(4) ○　(5) △

(6) □　3. cān kǎo 参考：喜欢沃罗佳，因为他助人为乐，在小伙伴丢了点心时把自己的面包分给他。

训练 21

1. jīng qí 惊奇　zàn tàn 赞叹　chén diān diān 沉甸甸　2. 因为妈妈要孩子们到 7 月 20 日父亲过生日的时候再吃。　3. 他要赞叹列宁和他的哥哥、姐姐。他会说："你们真是爱长辈的好孩子，真了不起！"　4. 略

训练 22

1. 略　2. ○（圈儿）　大成平时不爱写字　3. B
4. 我应该好好学习写字。　5. 略

xiǎo bā zhǎng tóng huà
小巴掌童话

训练 23

1. wū rǔ 污辱：wǔ rǔ 侮辱，diàn wū 玷污。使对方人格或名誉受到损害，蒙受耻辱。bào fù 报复：打击批评自己或损害自己利益的人。　2. 一只大鹅不小心踩了它一脚。　3. 因为青蛙身体压在草坪上，把小草压倒了一大片，而小草没有生气，更没有怪罪它。　4. A　5. 参考：遇事要学会宽容，该原谅别人的地方就应当原谅别人。

训练 24

1. fáng zi 房子　dòng wù 动物　gào su 告诉　bì mù yǎng shén 闭目养神　bèn shǒu bèn jiǎo 笨手笨脚　2. gǒu xióng 狗熊——yī shēng 医生　huáng lí 黄鹂——gē xīng 歌星　xióng māo 熊猫——huà jiā 画家　xiǎo yě zhū 小野猪——jiàn zhù shī 建筑师
3. 小猴哥最聪明，因为小动物们遇到什么难题，都找他解决。
4. A　5. 略

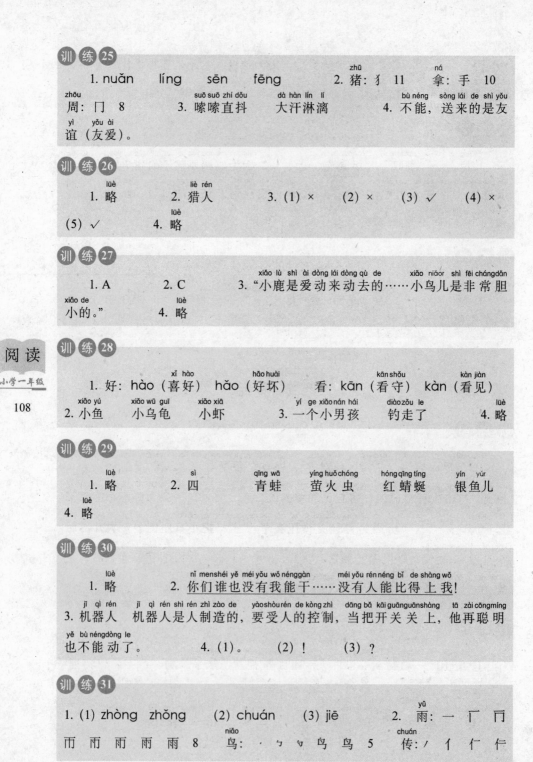

训练 25

1. nuǎn líng sēn fēng　　2. 猪: 犭 11　　拿: 手 10
zhōu
周: 门 8　　3. 嗦嗦直抖　大汗淋漓　　4. 不能，送来的是友
yì yǒu ài
谊（友爱）。

训练 26

1. 略　　2. 猎人　　3. (1) ×　　(2) ×　　(3) ✓　　(4) ×
(5) ✓　　4. 略

训练 27

1. A　　2. C　　3. "小鹿是爱动来动去的……小鸟儿是非常胆
xiǎo de　　lüè
小的。"　　4. 略

阅读
小学一年级

108

训练 28

1. 好: hào（喜好）　hǎo（好坏）　看: kān（看守）　kàn（看见）
2. 小鱼　小乌龟　小虾　　3. 一个小男孩　钓走了　　4. 略

训练 29

1. 略　　2. 四　　青蛙　萤火虫　红蜻蜓　银鱼儿
4. 略

训练 30

1. 略　　2. 你们谁也没有我能干……没有人能比得上我！
3. 机器人　机器人是人制造的，要受人的控制，当把开关关上，他再聪明
也不能动了。　　4. (1) 。　　(2) ！　　(3) ？

训练 31

1. (1) zhòng zhǒng　(2) chuán　(3) jiē　　2. 雨: 一 厂 冃
雨 雨 雨 雨 雨 8　鸟: 丶 刁 勹 鸟 鸟 5　传: 丿 亻 仁 仨

传 传 6　　　3.（1）喝饱了水。　　（2）小鸟 捉虫子　　（3）小蜜
蜂 传播花粉　　（4）种到泥土里　　4.短文写的是小果树请客的事。

训练32

1.略　　2.春天 夏天 夏天 秋天 秋天 冬天 小
蜗牛实在是爬得太慢了　　3.参考：要是像小蜗牛那么慢吞吞的，可就
什么事也做不成了。

小个子寓言

训练33

1.（1）滚（圆）花（园）（圆）月　　（2）朋（友）（有）时（友）
爱　　2.瓤皮 不好吃　　3.西瓜怎么吃 劝告　　　　4.C（✓）

训练34

1.大：天 太 犬……　　力：为 办……　　巴：把 爸 吧……
2.黄灿灿 盼望 宝贝 照例　　3.早点下蛋 着急 杀
鸡取蛋 一个金蛋也没有 太心急，以至于违反了生活规律

训练35

1.比碗大不了多少 蹄子 蹄子 碗　　2.长短跟黄瓜差
不多 牛角 牛角 黄瓜　　3.C

训练36

1.仔细→细心→心灵→灵活→活动→动听 评比→比分→分数→数字→
字体→体育 花香→香味→味道→道理→理解→解开　　2.三 三

3. ^{hóu zi yào shāo huǒ kě shì méi yǒu chái yào kǎn lì shù dāng chái shāo}
猴子要烧火，可是没有柴，要砍栗树当柴烧。

^{nǐ yǐ hòu hái yǒu lì zi chī ma}
你以后还有栗子吃吗？

4. ^{yā péng you}
呀，朋友！……

训练 37

1. A   2. B   3. C   4. C

训练 38

1. ^{ge zuò zhī pǐ tiáo miàn}
个 座 只 匹 条 面

2. (1) ^{nóng mín sòng gěi guó wáng yí ge dà nán guā}
农民送给国王一个大南瓜。

^{guó wáng hěn mǎn yì}
国王很满意。

(2) ^{fù rén xiǎng sòng gěi guó wáng yì pǐ jùn mǎ dé dào fēng fù de shǎng cì guó wáng huí}
富人想送给国王一匹骏马，得到丰富的赏赐。国王回

^{zèng gěi tā nóng mín sòng lái de nà ge dà nán guā}
赠给他农民送来的那个大南瓜。

3. ^{lüè}
略

训练 39

1. dé de zhe wéi

2 ^{zì jǐ gēn zì jǐ shuō huà}
自己跟自己说话

3. (1) ① ^{dòng cí}
动词：

^{yǎng tǐng fān juǎn zhe kě yǐ kàn chū xiǎo hé fēi cháng jiāo ào zì mǎn liú de sù dù kuài dà}
仰 挺 翻卷着 可以看出：小河非 常 骄傲自满 ②流的速度快   (2) 大

^{hǎi tè bié dà yí piàn wāng yáng tiān lián zhe hǎi hǎi lián zhe tiān}
海特别大 一片汪洋，天连着海，海连着天   4. C（✓）

训练 40

1. ^{liǎng zhī xiǎo māo zhǐ hǎo nǐ kàn wǒ wǒ kàn nǐ dōu shuō bu chū huà lái}
两只小猫只好你看我，我看你，都说不出话来。

2. ^{liǎng zhī xiǎo māo}
两只小猫

^{wèi dú tūn yì tiáo yú dǎ de nán jiě nán fēn zuì hòu bèi lǎo shǔ tōu zǒu de shì}
为独吞一条鱼打得难解难分，最后被老鼠偷走的事。

3. ^{rú guǒ bù tuán}
如果不团

^{jié jiù huì bèi dí ren zuān kòng zi}
结，就会被敌人钻空子。

训练 41

1. ^{ǔ iàn iáng ù ué}
ǔ iàn iáng ù ué

2. (1) A   (2) B

3. ^{lǎo yīng}
老鹰

^{xiǎo yīng lǎo yīng jù jué zuò xiǎo shì qíng kàn bu qǐ rì cháng láo dòng de rén lǐ xiǎng jiù bù kě}
小鹰 老鹰   4. 拒绝做小事情、看不起日常劳动的人，理想就不可

^{néng shí xiàn}
能实现。

tóng xīn yǔ shī xīn
童心与诗心

训练 42

1. 两（liǎng）　2. (1) 因为我长高了，所以全家拍手笑了。（yīn wèi wǒ zhǎnggāo le　suǒ yǐ quán jiā pāi shǒuxiào le）　(2) 因（yīn）为我长大了，能练习自己去上学，所以不要妈妈送了。（wèi wǒ zhǎng dà le　nénglián xí zì jǐ qù shàngxué　suǒ yǐ bú yào mā ma sòng le）　3. 提示：（tí shì）可从身体变化、学习、生活等方面来说。（kě cóngshēn tǐ biànhuà　xué xí　shēnghuóděngfāngmiàn lái shuō）

训练 43

1. 提了两个问题，前一问写了妈妈的辛劳，后一问说出了妈妈对我们深（tí le liǎng ge wèn tí　qián yí wèn xiě le mā ma de xīn láo　hòu yí wènshuōchū le mā ma duì wǒ menshēn）切的爱。（qiè de ài）　2. C　3. A

训练 44

1. 桃花（táo huā）　柳丝（liǔ sī）　梨花（lí huā）　2. 略（lüè）　3. (1) 春风　春雨　春（chūnfēng　chūn yǔ　chūn）天　春雷　春花　春耕　春季　春联　春节　春景　春笋（tiān　chūn léi　chūnhuā　chūngēng　chūn jì　chūnlián　chūn jié　chūnjǐng　chūnsǔn）　(2) 略（lüè）

训练 45

1. 梨子（lí zi）　杏子（xìng zi）　梨（lí）　杏（xìng）　2. 小杏子，别哭啦，长大我当（xiǎoxìng zi　bié kū la　zhǎng dà wǒ dāng）园艺家，发明一个好办法，保证让你比梨子大。（yuán yì jiā　fā míng yí ge hǎo bàn fǎ　bǎozhèngràng nǐ bǐ lí zi dà）　3. (1) 鸟（niǎo）　(2) 天（tiān）　(3) 自己（zì jǐ）

训练 46

1. 蜗牛（wō niú）　葡萄（pú táo）　房屋（fáng wū）　月亮（yuèliang）　夜晚（yè wǎn）　肚子（dù zi）　2. 略（lüè）　3. 写小蜗牛爬树遭到癞蛤蟆嘲笑的事。（xiě xiǎo wō niú pá shù zāo dào lài há máchāoxiào de shì）　4. 不傻，现在葡萄树上是（bù shǎ　xiàn zài pú táo shùshang shì）没有葡萄，但"等我爬上葡萄熟"，可见，蜗牛有一个坚定的理想，为了实（méi yǒu pú táo　dàn　děngwǒ pá shàng pú táo shú　kě jiàn　wō niú yǒu yí ge jiāndìng de lǐ xiǎng　wèi le shí）现理想，它在不停地努力，并没有因为辛苦和被嘲笑而停下来。这种精神（xiàn lǐxiǎng　tā zài bù tíng de nǔ lì　bìngméi yǒu yīn wèi xīn kǔ hé bèicháoxiào ér tíng xià lái　zhèzhǒngjīngshén）真伟大！（zhēnwěi dà）

1. 大人国　小人国　大人国（的人）　小人国（的人）　小人国（的人）　大人国（的人）　2. 大人国的人邀请小人国的人去大人国游玩　小人国的人请大人国的人找个鸽子笼，他准备到大人国去过夏

3. (1) "我"指的是大人国的人，大人国的人要给小人国的人找鸽子笼。

(2) 因为小人国的人特别小，住在鸽子笼大小正合适　　4. 略

qiǎnxiǎn de gǔ shī
浅显的古诗

训练 48

1. lóng　shēn　kū　2. 江面　井口　黄狗　白狗

3. 略

训练 49

1. 白玉盘　2. 小时候不认识月亮，把明月叫做白玉盘，又怀疑是瑶台仙镜，飞在夜空云彩中间。

训练 50

1. 秋天　春天　滚滚波浪　歪歪斜斜　2. B　3. 略

训练 51

1. 汪伦　2. 李白　唱歌　汪伦　即使　汪伦

3. (1) B　(2) A　4. "深千尺"是夸张的说法，诗人把潭水和汪伦对"我"的情谊相比。

训练 52

1. 举：抬。　首：头。　2. 只有//天//在上，更无//山//与齐。举

tóu hóng rì jìn huí shǒu bái yún dī
头//红日/近，回首//白云/低　　3. 高　　4. 华山高耸入云，十分
huà shāng āo sōng rù yún shí fēn
zhuàngguān
壮 观。

训练 53

shān lín　　yè wǎn　　qiū tiān
1. 山林　　夜晚　　秋天　　2. 明月的清晖从松林间隙中照射下来
míngyuè de qīng huī cóng sōng lín jiàn xì zhōngzhàoshè xià lái
shānquáncóngshān shí shang liú guò de shēng yīn
山泉从山石上流过的声音　　3. 略
lüè

zhǎng zhī shi de kē xué xiǎo pǐn
长知识的科学小品

训练 54

1. (1) ×　(2) ✓　(3) ×　(4) ×　(5) ✓　　2. 6500万年以
wànnián yǐ
qián　　bà wáng lóng　tōu dàn lóng　dú jiǎo lóng　guān lóng
前。霸王龙、偷蛋龙、独角龙、冠龙……　3. (1) 使 容
shǐ róng
(2) 担 因 身　　(3) 仰 醒
dān yīn shēn　　　yǎng xǐng

阅读
小学一年级

113

训练 55

1. yuè liang wèi shén me bú huì diào xià lái　　读疑问语气
dú yí wèn yǔ qì
2. 略　　3. 四　二　三、四　　4. 地球的引力紧紧拉住它。
lüè　　sì　èr　sān sì　　dì qiú de yǐn lì jǐn jǐn lā zhù tā

训练 56

1. cháo　bì　zhòng　　2. 蜜蜂　蚂蚁　红蜻蜓　花蝴蝶
mì fēng　mǎ yǐ　hóngqīngtíng　huā hú dié
3. 水牛在水中，小狗吐舌头
shuǐ niú zài shuǐzhōng　xiǎogǒu tǔ shé tou

训练 57

1. 松树　　冬青　　2. 松树身上的叶子……用不着落叶。
sōngshù　dōngqīng　　sōngshùshēnshang de yè zi　yòng bu zháo luò yè
3. 冬青身上的叶子……它们也是不落叶的。　　4. 不是，它们也在不
dōngqīngshēnshang de yè zi　tā men yě shì bú luò yè de　　bú shì　tā men yě zài bú
断地落叶。因为它们掉了叶子以后，会不断有新的树叶长出来，所以一年
duàn de luò yè　yīn wèi tā mendiào le yè zi yǐ hòu　huì bú duànyǒu xīn de shù yè zhǎngchū lái　suǒ yǐ yì nián

训练 58

tā bǎ shēn tǐ liǎngbiān de　　mànmàn fēi shàngtiānkōng
1. 它把身体两边的……慢慢飞上天空。　　2. B　C　E

lüè
3. 略

训练 59

rì chángshēnghuóyòng pǐn de tǒngchēng　　cúnfàng qǐ lái　zàn shí bú yòng
1.(1) 日常生活用品的统称。　　(2) 存放起来，暂时不用。

diànbīngxiāng　xǐ yī jī　bǐ　bǐ jì běn　　huì shuōhuà　　tí xǐng shǐ yòng de
2.(1) 电冰箱　洗衣机　笔　笔记本　　(2) 会说话　　(3) 提醒使用的

zhù yì shì xiàng　gěi rén men dài lái fāngbiàn　　lüè
注意事项，给人们带来方便。　　3. 略

训练 60

hóngyàn yàn　jīn càn càn　liàng
1. hóng chéng huáng lǜ qīng lán zǐ　2. 红艳艳　金灿灿　亮

shǎnshǎn　bái ái ái　hēi hū hū　　tài yángguāng shì yóuhóng chéng huáng lǜ qīng
闪闪　白皑皑　黑乎乎……　3. 太阳光是由红、橙、黄、绿、青、

lán zǐ qī zhǒngyán sè zǔ chéng de　　tí shì　hào qí xīn　ài sī kǎo　xū xīn
蓝、紫七种颜色组成的。　4. 提示：①好奇心；②爱思考；③虚心

qǐngjiào　yǒu lǐ mào
请教；④有礼貌。